앞 사진 | 북촌 한옥마을
청계천과 종로의 북쪽이라는 뜻의 '북촌'에 위치한 한옥이 밀집되어 있는 마을
© 게티이미지코리아

세종
한국어

4A

문화체육관광부
국립국어원

발간사

최근 전 세계인이 접하는 한류 콘텐츠의 규모가 늘어나면서 한류 문화가 확산되고 있고, 그 결과로 한국어를 배우고자 하는 외국인 학습자의 기세가 매우 놀랍습니다. 세계 곳곳이 코로나19로 침체기를 겪던 2021년에도 한국어능력시험 응시자는 30만 명을 훌쩍 넘었으며, 문화체육관광부의 세종학당은 2007년 13곳에서 2022년에는 84개국 244개소로 증가하였습니다. 이러한 한류의 지속적인 확산을 뒷받침하기 위해서는 한국어교육의 탄탄한 지원이 필요합니다.

한류 콘텐츠와 함께 성장하는 한국어교육의 토대를 다지기 위해, 문화체육관광부와 국립국어원은 2011년 처음 발간된《세종한국어》를 새로 다듬기로 하였습니다. 2019년부터 기초 연구를 시작한 교재 개정 작업은 3년의 시간을 들여, 2022년 드디어 새로운《세종한국어》를 펴내게 되었고, 이를 세종학당재단과 함께 알리게 되었습니다.

새롭게 개정된《세종한국어》는 첫째, 세종학당 곳곳에서 한국어를 배우고자 하는 열의로 가득 찬 외국인 학습자 중심의 교재를 지향하였습니다. 둘째, 현지 세종학당의 학습 환경에 따라 유연하게 활용할 수 있는 맞춤형 교재로 정비되었습니다. 셋째, 한류 콘텐츠에 대한 외국인들의 관심을 내용에 반영함으로써, 한국어 공부에 대한 학습자의 부담을 낮췄습니다. 마지막으로 세종학당을 대표하는 표준 교재로서 구심점 역할을 담당하고, 이후의 한국어 학습을 위한 연계성도 잘 갖추었습니다.

세종학당은 한국어와 한국 문화로 한국과 세계를 연결하는 대한민국 대표의 국외 한국어교육 기관입니다. 국립국어원과 문화체육관광부는 앞으로도 세종학당재단과 협력하여 전 세계에서 한국어를 사랑하는 이들이 꿈을 이룰 수 있도록 지속적인 노력과 지원을 아끼지 않겠습니다.

끝으로 교재 개발을 위해 최선의 노력을 기울여 주신 연구·집필진과 출판사 관계자분들께 진심으로 감사의 말씀을 드립니다.《세종한국어》의 새로운 출발과 함께 문화체육관광부와 국립국어원, 세종학당재단이 세계로 더 나아갈 수 있도록 여러분의 따뜻한 관심 부탁드립니다.

2022년 8월
국립국어원장 장소원

머리말

세종학당은 한국과 전 세계를 연결하는 한국어·한국 문화 보급 기관입니다. 이번에 개발한 교재는 상호 문화주의에 기반하여 한국어 학습에 대한 학습자의 흥미를 증진함으로써 한국어 의사소통 능력을 향상시키는 것을 목표로 하였습니다. 이를 위해 최근 한국의 상황을 적극적으로 반영하였고 최신 교수법을 구현할 수 있는 새로운 구성과 디자인을 적용하였습니다. 이를 통해 국외 한국어교육의 방향성을 새롭게 제시하고자 하였습니다. 개정 《세종한국어》의 구체적 특징은 다음과 같습니다.

첫째, 세종학당의 표준 교육과정인 가형, 나형, 다형 전 과정에 탄력적으로 활용할 수 있도록 '기본 교재'와 '더하기 활동 교재'로 구분하였습니다. '기본 교재'에는 해당 등급에 필요한 핵심적인 내용을 담았으며, '더하기 활동 교재'에는 심화·확장이 필요한 언어 지식과 의사소통 활동을 담았습니다. 이를 통해 다양한 학습자 특성에 맞게 교재를 선택하여 사용할 수 있도록 하였습니다.

둘째, 효과적 교수·학습을 위해 단계별로 단원 구성을 차별화하였으며 학습 내용 또한 언어 발달 단계에 맞는 교수 학습 내용과 절차를 적용하였습니다. 특히 다양한 삽화와 시각적 자료를 적극적으로 제시하여 한국어 학습의 흥미를 극대화할 수 있도록 노력하였습니다.

셋째, 교재 전반에 생생한 한국 문화 내용을 배치하여 학습자들이 상호 문화적 관점에서 한국 문화를 이해하고, 궁극적으로는 자국의 문화와 한국 문화에 대한 바른 태도를 형성할 수 있도록 하였습니다.

넷째, 교재와 함께 '익힘책', '교사용 지도서', '어휘·표현과 문법', 수업용 PPT와 같은 보조 자료들을 개발하여 교시·학습자의 요구에 맞게 교재를 활용할 수 있도록 하였습니다.

이 교재를 기획하고 개발하는 모든 과정에 함께해 주신 국립국어원과 현지 학당과의 협조와 지원을 아끼지 않으신 세종학당재단, 그리고 학습자들이 재미있게 한국어를 배울 수 있도록 멋지게 디자인해 주신 공앤박출판사에 감사의 마음을 전하고 싶습니다. 끝으로 3년이라는 긴 시간 동안 오로지 한국어교육에 대한 열정으로 좋은 교재를 만들어 내기 위해 애써 주신 모든 집필진께 말로는 다할 수 없는 깊은 감사의 마음을 전합니다.

2022년 8월
저자 대표 이정희

차례

발간사 • 3   머리말 • 4   교재의 구성 • 6   단원의 구성 • 8   등장인물 소개 • 11

나의 소망

1

여건이 된다면 외국에서
1년쯤 살아 봤으면 해요

12

2

한 번쯤 가 볼 만한
곳이야

20

새로운 소식

3

드디어 새 앨범이 나온대

28

4

폭설로 인해서
많은 피해가 발생하고
있습니다

36

유용한 정보

5

어떤 앱을 주로
사용하냐면요

44

6

마늘은 면역력을 높여
줄 뿐만 아니라
암 예방에도 좋습니다

52

경험

7

버스가 흔들려서
넘어질 뻔했어요

60

8

가을이 되면
잘 익은 감이
주렁주렁 달렸다

68

방송과 영화

9

이번 주 방송
정말 볼 만하지 않았어?

76

10

주인공이 책상 위를
보더니 깜짝 놀라서
무엇인가를
찾기 시작하는 거야

84

내가 사는 곳

11

저는 춘천에 대해
소개하겠습니다

92

12

한국에 대해
발표하고자 합니다

100

듣기 지문 • 110   모범 답안 • 115   어휘와 표현 색인 • 121   자료 출처 • 122

교재의 구성

단원	주제	단원명	기능	
1	나의 소망	여건이 된다면 외국에서 1년쯤 살아 봤으면 해요	표현하기	
2		한 번쯤 가 볼 만한 곳이야	소개하기	
3	새로운 소식	드디어 새 앨범이 나온대	묻고 답하기	
4		폭설로 인해서 많은 피해가 발생하고 있습니다	서술하기	
5	유용한 정보	어떤 앱을 주로 사용하냐면요	설명하기	
6		마늘은 면역력을 높여 줄 뿐만 아니라 암 예방에도 좋습니다	설명하기	
7	경험	버스가 흔들려서 넘어질 뻔했어요	서술하기	
8		가을이 되면 잘 익은 감이 주렁주렁 달렸다	묘사하기	
9	방송과 영화	이번 주 방송 정말 볼 만하지 않았어?	표현하기	
10		주인공이 책상 위를 보더니 깜짝 놀라서 무엇인가를 찾기 시작하는 거야	서술하기	
11	내가 사는 곳	저는 춘천에 대해 소개하겠습니다	설명하기	
12		한국에 대해 발표하고자 합니다	설명하기	

어휘와 표현	문법		발음	활동
소망	-는다면/ㄴ다면/ 다면	-았으면/ 었으면 하다		소원 말하기 소망 목록 작성하기
장소의 특징	-(으)ㄹ 만하다	-던데	비음화	가 볼 만한 곳 소개하기 가 볼 만한 곳 추천하는 글 쓰기
소식	-는대요/ㄴ대요/ 대요	-내요, -(으)래요, -재요		새로운 소식 전달하기 기사 내용 메시지로 전달하기
사건과 사고	(으)로 인해서	-(으)면서 (계기)	ㅎ 탈락	직접 겪은 사고나 사건 말하기 신문 기사 쓰기
인터넷	-냐면	-기가 쉽다, 어렵다, 힘들다, 편하다		홈페이지 내용 파악하기 유용한 앱을 소개하는 블로그 게시글 쓰기
식품의 효과	-(으)ㄹ 뿐만 아니라	-게 하다	비음화	건강식품 소개하기 식품의 효과를 소개하는 글 쓰기
감정	-(으)ㄹ 뻔하다	아무 명사 (이)나		감정을 느낀 경험 말하기 자신이 자랑스러웠던 경험에 대한 글 쓰기
풍경	-는/(으)ㄴ/ (으)ㄹ 듯이	피동(-이-, -히-, -리-, -기-)	경음화	추억에 대한 대화 듣기 고향을 묘사하는 글 쓰기
감상과 평가	-지 않아요?	얼마나 -는다고요/ ㄴ다고요/다고요		즐겨 보는 방송 소개하기 좋아하는 방송 프로그램에 대한 소감 쓰기
줄거리	-더니	-는/(으)ㄴ 것이다	억양 (의문문)	재미있게 본 작품 소개하기 줄거리 만들기
지역의 특징	(으)로서	에 대해서		고향에서 유명한 것 소개하기 도시나 지역을 소개하는 글 쓰기
국가 소개	-(으)며	-고자 하다	유음화	국가 소개하기 관심 있는 나라 소개하는 글 쓰기

단원의 구성

도입

'도입'은 해당 단원의 주제와 관련이 있는 장면이나 한국의 문화 지식을 제시하고자 하였다. 또한 해당 단원에서 배울 내용에 대한 배경지식을 활성화하여 학습자들이 주제에 흥미를 가질 수 있도록 하였다.

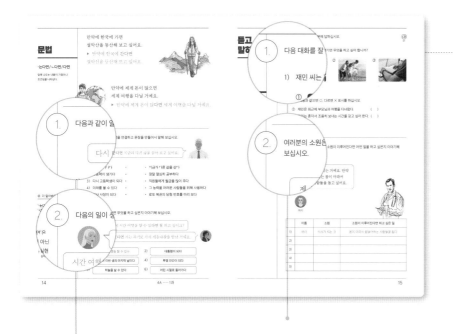

문법   듣고 말하기

'문법'은 해당 단원에서 배워야 하는 문법 항목을 선정하였다. 해당 문법 항목의 의미 설명을 해당 문법 아래에 두었다. 목표 문법 항목을 학습함으로써 좀 더 수준 높은 표현을 할 수 있음을 보여 주기 위해 두 가지의 예문을 함께 제시하였다.

'듣고 말하기'는 듣기, 말하기 기능에 초점을 두었다. 단원에 따라 듣기, 말하기 외의 다른 언어 기능으로 교체될 수 있다. '도입'에서부터 다룬 단원의 주제, '문법'에서 학습한 문법 항목을 가지고 언어 기능을 수행할 수 있도록 하였다.

1번은 듣기로 전체 내용 파악하기, 핵심 내용 파악하기, 세부 내용 파악하기 등 듣기 담화를 이해할 수 있도록 하는 활동 문제가 함께 제시되어 있다.

2번은 말하기로 단원의 주제와 관련되어 있는 소재에 대해 대화나 발표를 수행할 수 있도록 하였다.

1번은 단순하고 유도된 연습을 통해 해당 문법을 익히도록 하였다.

2번은 1번에서 익힌 연습의 확장 또는 유의적 연습이며 짝 활동, 모둠 활동 등으로 구성하였다.

'대화'는 해당 단원의 주제로 구성된 실제적인 대화문 또는 담화를 제시하였다. '대화'의 앞부분에는 어떤 상황에서 대화가 진행되는지를 알 수 있도록 지시문을 두었다.
뒷부분에는 이해 확인 질문을 두어 대화문에 대한 전반적인 이해를 점검할 수 있게 하였다. 대화문 옆에는 '더 알아봐요'를 둠으로써, 보충적인 내용들을 교사와 함께 학습할 수 있도록 하였다. 또한 짝수 단원에서는 '발음'이 제시된다. '발음'은 대화문에서 제시된 표현 중 4단계 학습자가 언어 지식으로 익히는 데에 도움이 되는 항목을 선정하였으며, 목표 항목과 실제 발음, 발음의 원리를 제시하였고 연습할 수 있는 예문을 제시하였다. '대화'에 나오는 문법과 어휘는 '대화 속 문법'과 '어휘와 표현'에서 구체적으로 학습될 수 있도록 하였다.

'어휘와 표현'은 해당 단원에서 다루는 주제의 대표적인 어휘를 선정하되 덩어리 표현으로 제시하여 언어 사용에 초점을 두었다. '어휘와 표현'은 어휘 제시, 기계적 연습, 유의적 연습 또는 간단한 활동으로 구성되었다.

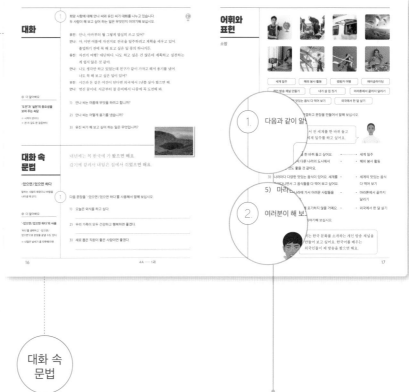

'대화 속 문법'은 대화문에서 나온 새로운 문법 중 학습할 만한 문법 항목을 선정하였다. 의미 설명은 해당 문법 항목 아래에 두었으며 단순하고 유도된 문법 연습을 통해 문법을 익히도록 하였다.

1번은 문장 완성하기 등의 활동을 통해 기본적인 의미를 익히도록, 2번은 1번에서 배운 것이 '자기 발화'로 나타나 내재화되도록 구성하였다.

읽고 쓰기

두 번째 활동은 읽기, 쓰기에 초점을
두어 고안하였다. 단원에 따라 다른
언어 기능으로 교체될 수 있다.
단원에서 배운 내용을 종합적으로
활용할 수 있도록 구성하였다.

자기 점검

'자기 점검'은 해당 단원에서 배운
주제와 기능에 대한 질문을 두어
학습자가 성취한 수준을 확인하고
점검하도록 하였다.

1번은 읽기 지문과 읽은 내용에 대한
이해 확인 질문을 두었다. 특히 1번에서 제시된
읽기 지문은 쓰기의 모범글로 활용할 수 있다.

2번은 읽은 내용을 바탕으로
자신의 이야기를 쓸 수 있도록 하였다.

통번역 활동

'통번역 활동'은 읽기, 쓰기 활동 중
하나에 연계하여 제시하였다.
활동 자료를 통역 또는 번역해 보면서
국외의 학습자들이 통번역 연습을
경험해 볼 수 있도록 하였다.

등장인물 소개

안나
대학생.
한국 드라마와 케이팝을 좋아함.
활발하고 적극적인 성격임.

유진
대학생.
영화 감상과 테니스 등
다양한 활동을 즐김.

마리
회사원.
재민의 회사 동료임.
등산과 케이팝을 좋아함.

수지
대학생.
외국에서 유학 중임.
취미는 사진 촬영임.

재민
회사원.
주재원으로 국외 근무 중임.
산책과 캠핑을 즐김.

주노
회사원.
한국에서 유학을 했음.
독서와 여행을 즐김.

1

여건이 된다면
외국에서 1년쯤
살아 봤으면 해요

소망이나 소원을
말할 수 있다.

어휘와 표현

소망

문법

-는다면 / ㄴ다면 / 다면,
-았으면 / 었으면 하다

S | 4A

1

❶ 여러분의 소원은 무엇입니까?

❷ 한국 사람들의 새해 소망에는 어떤 것이 있을까요?

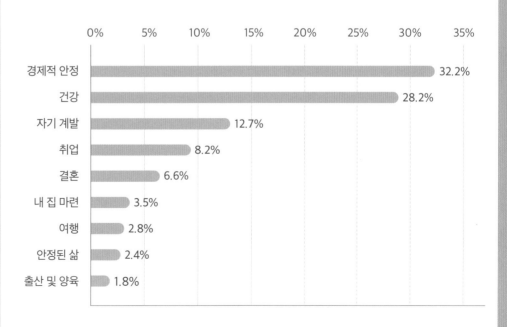

경제적 안정	32.2%
건강	28.2%
자기 계발	12.7%
취업	8.2%
결혼	6.6%
내 집 마련	3.5%
여행	2.8%
안정된 삶	2.4%
출산 및 양육	1.8%

문법

-는다면/ㄴ다면/다면

앞에 나오는 내용이 가정이나 조건임을 나타낸다.

만약에 한국에 가면
설악산을 등산해 보고 싶어요.

▶ 만약에 한국에 간다면
설악산을 등산해 보고 싶어요.

만약에 제게 돈이 많으면
세계 여행을 다닐 거예요.

▶ 만약에 제게 돈이 많다면 세계 여행을 다닐 거예요.

---

① 1. 다음과 같이 알맞은 말을 연결하고 문장을 만들어서 말해 보십시오.

> 다시 태어난다면 지금과 다른 삶을 살아 보고 싶어요.

1) 다시 태어나다 ·----------------· 지금과 다른 삶을 살다
2) 초능력이 생기다 · · 정말 열심히 공부하다
3) 다시 고등학생이 되다 · · 직원들에게 월급을 많이 주다
4) 미래를 볼 수 있다 · · 그 능력을 어려운 사람들을 위해 사용하다
5) 회사 사장이 되다 · · 로또 복권의 당첨 번호를 미리 보다

② 2. 다음의 일이 생긴다면 무엇을 하고 싶은지 이야기해 보십시오.

 만약에 시간 여행을 할 수 있다면 뭘 하고 싶어요?

시간 여행을 할 수 있다면 저는 과거로 가서 세종대왕을 만날 거예요.

1) 시간 여행을 할 수 있다   2) 대통령이 되다
3) 오늘이 이번 생의 마지막 날이다   4) 투명 인간이 되다
5) 하늘을 날 수 있다   6) 어린 시절로 돌아가다

듣고 말하기

1. 다음 대화를 잘 듣고 질문에 답하십시오.

1) 재민 씨는 자유 시간이 생기면 무엇을 하고 싶어 합니까?

① 　　② 　　③

2) 들은 내용과 같으면 ○, 다르면 × 표시를 하십시오.

① 재민은 최근에 부모님과 여행을 다녀왔다.　　　　　　(　)

② 마리는 혼자서 조용히 보내는 시간을 갖고 싶어 한다. (　)

---

2. 여러분의 소원은 무엇입니까? 소원이 이루어진다면 어떤 일을 하고 싶은지 이야기해 보십시오.

> 제 소원은 의사가 되는 거예요. 만약 의사가 된다면 저는 몸이 아파서 힘들어하는 사람들을 돕고 싶어요.

해리

	이름	소원	소원이 이루어진다면 하고 싶은 일
1)	해리	의사가 되는 것	몸이 아파서 힘들어하는 사람들을 돕다
2)			
3)			
4)			
5)			

대화

1. 희망 사항에 대해 안나 씨와 유진 씨가 대화를 나누고 있습니다.
두 사람이 해 보고 싶어 하는 일은 무엇인지 이야기해 보십시오.

02

유진: 안나, 아까부터 뭘 그렇게 열심히 쓰고 있어?

안나: 아, 이번 여름에 자전거로 전국을 일주하려고 계획을 세우고 있어.
졸업하기 전에 꼭 해 보고 싶은 일 중의 하나거든.

유진: 자전거 여행? 대단하다. 나도 하고 싶은 건 많은데 계획하고 실천하는
게 쉽지 않은 것 같아.

안나: 나도 생각만 하고 있었는데 친구가 같이 가자고 해서 용기를 냈어.
너도 꼭 해 보고 싶은 일이 있어?

유진: 시간과 돈 같은 여건이 된다면 외국에서 1년쯤 살아 봤으면 해.

안나: 멋진 꿈이네. 지금부터 잘 준비해서 나중에 꼭 도전해 봐.

⊕ 더 알아봐요

**'도전'과 '실천'의 중요성을
보여 주는 속담**

○ 시작이 반이다
○ 천 리 길도 한 걸음부터

1) 안나 씨는 여름에 무엇을 하려고 합니까?

2) 안나 씨는 어떻게 용기를 냈습니까?

3) 유진 씨가 해 보고 싶어 하는 일은 무엇입니까?

대화 속 문법

내년에는 꼭 한국에 가 봤으면 해요.

감기에 걸려서 내일은 집에서 쉬었으면 해요.

-았으면/었으면 하다

말하는 사람의 희망이나 바람을
나타낼 때 쓴다.

⊕ 더 알아봐요

'-았으면/었으면 하다'의 사용

'하다'를 생략하고 '-았으면/
었으면'으로 문장을 끝낼 수도 있다.

○ 내일은 날씨가 좀 따뜻했으면.

1. 다음 문장을 '-았으면/었으면 하다'를 사용해서 말해 보십시오.

1) 오늘은 외식을 하고 싶다.

   ....

2) 우리 가족이 모두 건강하고 행복하면 좋겠다.

   ....

3) 새로 뽑은 직원이 좋은 사람이면 좋겠다.

   ....

어휘와 표현

소망

| 세계 일주 | 해외 봉사 활동 | 캠핑카 여행 | 패러글라이딩 |

| 개인 방송 채널 만들기 | 내가 살 집 짓기 | 마라톤에서 끝까지 달리기 |

| 세계의 맛있는 음식 다 먹어 보기 | 외국에서 한 달 살기 |

1. 다음과 같이 알맞은 말을 연결하고 문장을 만들어서 말해 보십시오.

> 저는 여행하면서 전 세계를 한 바퀴 돌고 싶어요. 저는 세계 일주를 하고 싶어요.

1) 여행하면서 전 세계를 한 바퀴 돌고 싶어요. •················• 세계 일주

2) 일상에서 벗어나서 다른 나라의 도시에서 살아 보는 것도 좋을 것 같아요. •   • 해외 봉사 활동

3) 나라마다 다양한 맛있는 음식이 있어요. 세계를 돌아다니면서 그 음식들을 다 먹어 보고 싶어요. •   • 세계의 맛있는 음식 다 먹어 보기

4) 졸업하면 다른 나라에 가서 어려운 사람들을 돕는 일을 할 거예요. •   • 마라톤에서 끝까지 달리기

5) 마라톤 대회에서 중간에 포기하지 않을 거예요. •   • 외국에서 한 달 살기

2. 여러분이 해 보고 싶은 일을 이야기해 보십시오.

> 저는 한국 문화를 소개하는 개인 방송 채널을 만들어 보고 싶어요. 한국어를 배우는 외국인들이 제 방송을 봤으면 해요.

읽고 쓰기

1. 다음 글을 읽고 질문에 답하십시오.

한국대학교 학생 6명이 만든 버킷 리스트 동아리가 화제가 되고 있다. 이들은 작년에 취업 동아리 모임에서 만나 대학 생활을 의미 있게 할 수 있는 방법을 고민하다가 버킷 리스트 동아리를 만들기로 했다. 이들은 봉사 활동, 공모전, 기업 탐방, 여행, 자격증, 축제 참가 같은 목록을 만들어서 올해 초부터 실천해 나가고 있다. 쉽게 할 수 있는 것부터 시작해서 졸업할 때까지 가능하다면 100가지 정도를 해 보는 것이 이들의 목표이다. 지금까지 실천한 것들은 기업 탐방, 봉사 활동 등 16가지이다. 이들은 앞으로도 계속해서 여러 가지 일들에 도전할 계획이다. 김하나 씨는 "대학 시절에 경험하지 않으면 영원히 못 할 수도 있는 것들을 해 보고 싶어서 동아리를 만들었다. 이런 다양한 경험들이 사회생활에도 도움이 되었으면 한다."라고 말했다.

⊕ 더 알아봐요

소망 목록
(버킷 리스트, bucket list)

소망 목록은 죽기 전에 하고 싶은 일을 적은 목록이다. 영어를 그대로 옮겨 와서 '버킷 리스트'라고 하는 경우도 많다.

1) 버킷 리스트 동아리를 만든 이유는 무엇입니까?

2) 버킷 리스트 동아리에서는 어떤 것들을 합니까?

📄 위의 글을 여러분 나라 말로 번역해 보십시오.

- 글의 내용을 친구와 함께 돌아가면서 한 문장씩 번역해 보십시오.
- 친구의 번역과 나의 번역이 같은지 비교해 보십시오.

2. 여러분의 소망 목록을 작성해 보십시오.

☆ 나의 소망 목록 ☆

①   ②

③   ④

⑤   ⑥

⑦   ⑧

⑨   ⑩

⊗ 이렇게 해 봐요

소망 목록이 잘 떠오르지 않으면 다음의 내용을 중심으로 생각해 보자.

○ 하고 싶은 것
○ 되고 싶은 것
○ 가지고 싶은 것
○ 먹고 싶은 것
○ 가고 싶은 곳
○ 배우고 싶은 것

자기 점검

1. 소망이나 소원을 말할 수 있어요?
2. 도전해 보고 싶은 일을 말할 수 있어요?

2

한 번쯤 가 볼 만한 곳이야

가 볼 만한 곳을
소개할 수 있다.

어휘와 표현
장소의 특징

문법
-(으)ㄹ 만하다, -던데

❶ 다음은 세계적인 관광지입니다. 많은 사람들이 이곳을 찾는
   이유는 무엇입니까?

캐나다 루이스호수

헝가리 부다페스트

중국 시안

태국 방콕

❷ 다음은 한국 사람들이 많이 가는 유명한 관광지입니다.
   여러분 나라에서 유명한 관광지는 어디입니까?

경주

속초

순천

제주도

문법

-(으)ㄹ 만하다

앞의 행동을 할 가치가 있다는
것을 나타낸다.

제주도에서는 다양한 수상 스포츠를
즐길 수 있어요. 한번 가 보세요.
▶ 제주도에서는 다양한 수상 스포츠를
즐길 수 있어서 한번 가 볼 만해요.

꽃이 예쁘게 피어 있어서 구경하기 정말 좋아요.
▶ 꽃이 예쁘게 피어 있어서 구경할 만해요.

(1.) 다음과 같이 문장을 완성해서 말해 보십시오.

이 영화는 작품성이 뛰어나서
상을 받을 만해요.

1)   서울은 볼거리가 많아서 여행을 _____.

2)   이 신발은 정말 편해요. 비싼 돈을 주고 _____.

3)   여기는 경치가 좋아서 사진을 _____.

4)   이 식당은 음식이 너무 맛있어서 줄을 서서 _____.

5)   시간 있을 때 이 소설책을 꼭 읽어 보세요. 정말 _____.

(2.) 다음 중 여러분이 알고 있는 좋은 것을 친구에게 추천해 보십시오.

떡볶이는 조금 맵지만 정말
맛있어요. 먹어 볼 만해요.

1)	음식
2)	책
3)	영화/드라마
4)	

듣고
말하기

1. 다음 주노 씨와 진 씨의 대화를 잘 듣고 질문에 답하십시오.

1) 주노 씨는 속초에서 어디가 제일 좋았습니까?

2) 들은 내용과 같으면 ○, 다르면 × 표시를 하십시오.

① 진은 휴가 때 가족들하고 속초에 가려고 한다. ( )

② 주노는 설악산에서 단풍 구경을 못 한 것이 아쉬웠다. ( )

⊕ 더 알아봐요

'-(으)ㄹ 만한 + 명사'

뒤에 명사가 올 때는 '-(으)ㄹ 만한
+ 명사'의 형태로 사용한다.

○ 여행 갈 만한 곳 좀 알려 주세요.
○ 먹을 만한 음식이 별로 없네요.

2. 여러분은 최근에 어디에 다녀왔습니까? 그곳은 어땠습니까?
다음과 같이 이야기해 보십시오.

> 저는 얼마 전에 친구들하고 작은 섬으로 여행을
> 다녀왔는데 해 볼 만한 해양 스포츠가 많아서 정말
> 재미있었어요. 특히 거기에서 처음으로 서핑을
> 배워 봤는데 잊지 못할 경험이었어요.

23

대화

① 더 알아봐요

서울에서 가 볼 만한 곳

역사를 느낄 수 있는 곳

경복궁   덕수궁

전망이 좋은 곳

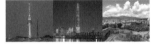

엔 서울 타워 롯데 월드 타워   낙산공원

여유로운 시간을 보낼 수 있는 곳

서울숲   올림픽 공원   하늘공원

---

① 가 볼 만한 곳에 대해 대화를 나누고 있습니다. 어떤 곳인지 이야기해 보십시오.

유진: 마리, 에스엔에스(SNS) 프로필 사진 멋지던데 어디에서 찍은 거야?

마리: 아, 그 사진? 지난번에 한국에 갔을 때 낙산공원에서 찍은 거야.
잘 나왔지?

유진: 응. 낙산공원은 처음 들어 보는 곳인데
어디에 있는 거야?

마리: 서울 시내에 있어. 유진, 너도 한국에 가게
되면 한번 가 봐. 전망이 좋아서 아름다운
서울의 야경을 한눈에 볼 수 있는 곳이야.
한 번쯤 가 볼 만해.

유진: 그래? 다음에 서울에 가면 꼭 가 봐야겠다.

마리: 갈 때 이야기해. 가 볼 만한 곳을 더 알려
줄게. 근처에 좋은 카페도 많은데 내가 간
곳이 분위기가 정말 색다르더라고.

1) 마리 씨의 프로필 사진은 어디에서 찍은 것입니까?

2) 그곳은 왜 가 볼 만했습니까?

3) 마리 씨는 유진 씨에게 또 어떤 곳을 알려 줄 겁니까?

대화 속 문법

-던데

뒤에 나오는 내용과 관련 있는
과거의 경험이나 사실에 대해
말할 때 쓴다.

이 앞에 새로운 식당이 문을 열었던데 한번 가 볼까요?

한국어 실력이 정말 좋던데 얼마나 공부한 거예요?

① 다음 문장을 '-던데'를 사용해서 완성해 보십시오.

1) 마리 씨가 .... 만났어요? (찾다)

2) 밖에 사람이 .... 무슨 행사가 있나 봐요. (많다)

3) 오늘 날씨가 .... 옷을 따뜻하게 입고 가세요. (춥다고 하다)

| 발음 | 잘 나왔지?
→ [잘:나와찌/잘라와찌] | 끊어 말하는 곳에 따라 발음이 달라질
수 있는데 'ㄴ'은 'ㄹ' 앞이나 뒤에서
[ㄹ]로 발음한다. | ▷ 다음을 읽어 볼까요?
• **실내** 온도가 낮다.
• **오늘날까지** 전해진다. |

어휘와 표현

장소의 특징

여유롭다

이국적이다

낭만적이다

현대적이다

활기가 넘치다

색다르다

신기하다

역사가 깊다

전망이 좋다

촬영지로 유명하다

---

1. 알맞은 말을 골라 문장을 완성해서 말해 보십시오.

1) 이 호수는 _____ 데이트 장소로 아주 유명해요.

2) 많은 사람들이 오가는 전통 시장은 날마다 _____ .

3) 이곳에 가면 오로라를 보는 _____ 경험을 할 수 있어요.

4) _____ 이 도시에는 오래된 건축물이 많이 남아 있다.

5) 사람이 별로 없는 조용한 해변에서 _____ 시간을 보냈어요.

6) 이곳은 풍경이 _____ 해외여행을 하는 기분을 느낄 수 있어요.

2. 친구들에게 이번 주말에 가 볼 만한 곳을 추천해 보십시오.

> 여러분, 이번 주말에 세종박물관에서 열리는 사진
> 전시회에 가 보세요. 색다른 사진이 많아서 정말
> 볼 만해요. 전시 기간이 얼마 안 남았던데 늦기 전에
> 꼭 가 보세요.

읽고
쓰기

1. 다음 글을 읽고 질문에 답하십시오.

순천
드라마 촬영장

전라남도 순천시에 위치한 '순천 드라마 촬영장'은 군부대가 떠난 자리에 지어진 대규모 영상 촬영장이다. 수많은 드라마와 영화가 만들어지는 이곳은 1960~1980년대 대한민국의 모습을 그대로 간직하고 있다.

이곳을 찾는 관광객들은 낭만적인 그때로 돌아가서 마치 영화 속의 주인공이 된 것 같은 기분을 느낄 수 있다. 촬영장에서 빌려주는 옛날 교복을 입고 드라마나 영화 속의 한 장면을 재현해 보는 것은 한 번쯤 해 볼 만한 경험이다. 무료한 일상에서 벗어나 특별한 추억을 쌓고 싶다면 지금 바로 순천 드라마 촬영장으로 떠나 보자.

〈이용 안내〉

관람 시간	09:00 ~ 18:00 (*휴무일 없음)
입장료	일반: 3,000원 / 청소년: 2,000원 / 어린이: 1,000원

1) 이곳은 어떤 곳입니까?

2) 윗글의 내용과 같은 것은 무엇입니까?
   ① 이곳은 무료로 이용할 수 있습니다.
   ② 이곳에서 옛날 옷을 빌릴 수 있습니다.
   ③ 이곳은 1960년대부터 문을 열었습니다.
   ④ 이곳은 저녁 6시 이후에도 이용할 수 있습니다.

윗글을 여러분 나라 말로 번역해 보십시오.

• '순천 드라마 촬영장'에 대한 중요한 정보 두세 가지를 찾아서 여러분 나라의 말로 바꿔 보십시오.
• 여러분이 번역한 내용과 친구가 번역한 내용을 비교해 보십시오.

친구들에게 가 볼 만한 곳을 추천하는 글을 써 보십시오.

가 볼 만한 곳을 추천하는 글을
쓰기 전에 다음과 같은 내용을
생각하면서 글의 내용을 마련해
보자.

○ 장소
○ 그 장소의 특징
○ 추천하는 이유
○ 그곳에서 할 수 있는 일

⊗ 이렇게 해 봐요

이 장소를 추천하는 이유를 어떻게
쓰면 좋을까? 다음과 같은 이유를
생각해 보자.

○ 특별한 추억을 쌓을 수 있다.
○ 새로운 세상을 만날 수 있다.
○ 견문을 넓힐 수 있다.

자기 점검

1. 가 볼 만한 곳을 소개하고 추천할 수 있어요?
2. 장소의 특징을 설명할 수 있어요?

3

드디어 새 앨범이 나온대

새로운 소식을
묻고 답할 수 있다.

어휘와 표현

소식

문법

-는대요/ ㄴ대요/대요,
-내요, -(으)래요, -재요

S | 4A
3

❶ 주변 사람들에게 다음과 같은 특별한 소식이 있습니까?

❷ 한국 사람들은 다음과 같은 소식을 에스엔에스(SNS)에 올립니다.
여러분은 어떻습니까?

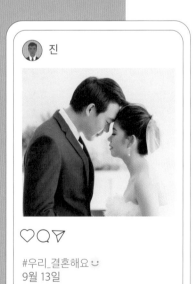

진

#우리_결혼해요 ↻
9월 13일

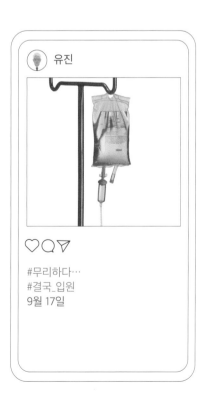

유진

#무리하다…
#결국_입원
9월 17일

민호

#충성!
#건강히_잘_다녀오겠습니다
9월 21일

문법

안나 씨가 내년에 한국으로 유학을 간다고 해요.

▶ 안나 씨가 내년에 한국으로 유학을 간대요.

-는대요/ ㄴ대요/대요

'-는다고/ ㄴ다고/다고 해요'의 줄임 표현으로, 다른 사람에게서 들은 말을 전달할 때 쓴다.

여기에서 유명한 영화를 찍었다고 해요.

▶ 여기에서 유명한 영화를 찍었대요.

---

1. 로라 씨에게 다음과 같은 말을 들었습니다. 이 소식을 다른 친구에게 전달해 보십시오.

1) 로라: 아르바이트할 곳을 찾아요.

  로라 씨가 아르바이트할 곳을 찾는대요.

2) 로라: 저는 요리하는 걸 좋아해요.

  .

3) 로라: 얼마 전에 회사를 그만뒀어요.

  .

4) 로라: 요즘 취미로 드럼을 배우고 있어요.

  .

5) 로라: 저 오디션에 합격했어요.

  .

6) 로라: 그 식당은 사람이 너무 많아서 시끄러워요.

  .

2. 여러분 주변 사람들의 특별한 소식을 이야기해 보십시오.

제 친구가 얼마 전에 방송국에 취직했대요.

듣고 말하기

1. 다음 대화를 잘 듣고 질문에 답하십시오.

1) 유진 씨에게 무슨 일이 있습니까?

① 　② 　③

2) 들은 내용과 같으면 ○, 다르면 × 표시를 하십시오.

① 해리는 주말에 유진 씨와 농구를 했다. 　(　)

② 유진은 지금 병원에 있다. 　　　　　　(　)

2. 우리 반 친구들에게는 어떤 소식이 있습니까? 반 친구들의 새로운 소식을 알아보고 다른 친구에게 그 소식을 전달해 보십시오.

⊕ 더 알아봐요

새로운 소식을 듣고 반응할 때 사용하는 표현

"진짜?" "설마." "어쩐지."

"말도 안 돼." "대박." "역시."

로라

> 저는 얼마 전에 이사했어요. 이사한 집이 넓어서 마음에 들어요.

↓

나

> 로라 씨는 얼마 전에 이사했대요. 이사한 집이 넓어서 마음에 든대요.

↓

해리

대화

02

1. 두 사람은 새로운 소식에 대해 대화를 나누고 있습니다.
어떤 소식인지 이야기해 보십시오.

안나: 수지야, 그 소식 들었어? 다음 달에 시온의 새 앨범이 나온대.

수지: 정말? 신곡 소식만 계속 기다리고 있었는데 드디어 나오는구나.

안나: 응. 그리고 이번 앨범은 정말 특별한 게, 시온이 작사·작곡에 모두 참여했대.

수지: 와! 너무 기대된다. 빨리 들어 보고 싶어. 콘서트도 꼭 하면 좋겠다, 그렇지?

안나: 응. 우리 콘서트 하면 보러 가자. 마리도 콘서트가 열리면 다 같이 보러 가재.

수지: 그래. 꼭 콘서트 소식이 들렸으면 좋겠다.

1) 두 사람은 어떤 소식에 대해 이야기하고 있습니까?

2) 이번 앨범이 특별한 이유는 무엇입니까?

3) 두 사람은 어떤 소식을 기다릴 겁니까?

⊕ 더 알아봐요

'참여하다'와 '참가하다'

두 어휘 모두 어떤 일에 관계한다는 의미이지만 '참여하다'는 그 일에 관계해 함께한다는 의미가 강하고, '참가하다'는 어떤 모임이나 단체, 또는 행사에 관계해 들어간다는 의미가 강하다.

○ 동아리 활동에 열심히 참여하고 있어요.

○ 말하기 대회에 참가할 거예요.

⊕ 더 알아봐요

'소식'에 대한 관용 표현 및 속담

○ 목 빠지게 기다리다

○ 무소식이 희소식이다

대화 속 문법

유진 씨가 내일 몇 시에 올 거내요.

민수 씨가 결혼식에 꼭 오래요.

진 씨가 같이 밥 먹으러 가재요.

-내요, -(으)래요, -재요

'-내요'는 '-냐고 해요'의 줄임 표현이고, '-(으)래요'는 '-(으)라고 해요'의, '-재요'는 '-자고 해요'의 줄임 표현이다.

1. 다음 친구의 말을 '-내요, -(으)래요, -재요'를 사용해서 다른 친구에게 전달해 보십시오.

1) 재민: 수업 끝나고 뭐 할 거예요?

   _____.

2) 마리: 우리 저녁에 한국 음식을 먹어요.

   _____.

3) 안나: 이 책을 꼭 읽어 보세요.

   _____.

어휘와 표현

소식

앨범이 나오다

콘서트가 열리다

영화가 개봉하다

흥행에 성공하다/실패하다

수상하다

기부하다

유행하다

해외에 진출하다

경제가 발전하다

(1.) 알맞은 말을 골라 문장을 완성해서 말해 보십시오.

1) 다음 달에 한국에서 큰 케이팝(K-POP) ....

2) 날씨가 추워지니까 감기가 .... 시작했어요.

3) 배우 예안이 처음으로 악역을 맡은 ....

4) 우리 나라 기업의 자동차가 .... 큰 성공을 거두었대요.

5) 최민호 감독이 영화 〈지하세계〉로 작품상을 ....

6) 이 화장품 회사는 수익금의 일부를 환경 보호 단체에 ....

⊕ 더 알아봐요

**-댔어요, -(으)랬어요,
-쟀어요, -냈어요**

'-다고 했어요, -(으)라고 했어요,
-자고 했어요, -냐고 했어요'의
줄임 표현이다.

○ 유진 씨가 아까 먼저 집에
간댔어요.

(2.) 여러분이 최근에 알게 된 소식을 이야기해 보십시오.

최근에 개봉한 영화 중에 이 영화가 제일 재미있대요. 친구들이 꼭 보랬어요.

1. 다음 글을 읽고 질문에 답하십시오.

세종신문

조승훈·박진숙 님
100억 원 기부

서울에 살고 있는 조승훈(74)·박진숙(72) 씨 부부가 지난 2일 평생 식당을 하면서 모은 전 재산 100억 원을 과학대학교에 기부하였다. 박진숙 씨는 "결혼할 때부터 나중에 나이가 들면 재산을 사회에 모두 기부하자고 약속했었어요. 그 약속을 지키게 돼서 기쁩니다."라고 소감을 밝혔다. 그리고 조승훈 씨는 "이제는 과학의 힘이 가장 중요한 세상이 되었기 때문에 과학 기술을 발전시키는 일에 도움이 되는 것이 더욱 많은 사람들을 도울 수 있는 길이라고 생각했어요."라고 과학대학교에 기부하게 된 이유를 밝혔다. 과학대학교 측에서는 이들 부부에게 깊은 감사를 전하였고, 그 뜻을 잊지 않고 과학 발전을 이끌어 갈 학생들을 교육하는 일에 최선을 다할 것을 약속하였다.

1) 위 뉴스 기사의 제목을 만들어 보십시오.

2) 윗글의 내용과 <u>다른</u> 것은 무엇입니까?

　① 두 사람은 새로운 식당을 열려고 모은 돈을 기부했다.

　② 두 사람은 결혼할 때부터 나이가 들면 기부를 하기로 했다.

　③ 두 사람은 과학의 발전에 도움이 되기 위해 과학대학교에 기부했다.

　④ 과학대학교는 두 사람에게 학생들을 열심히 교육하겠다고 약속했다.

윗글을 여러분 나라 말로 번역해 보십시오.

• 기사의 내용을 여러분 나라의 말로 번역해 보십시오.
• 여러분이 번역한 내용과 친구가 번역한 내용을 비교해 보십시오.

2. 친구에게 문자 메시지로 위의 기사 내용을 전달해 주십시오.

자기 점검

1. 주변 사람의 소식을 전달할 수 있어요?
2. 뉴스의 내용을 전달할 수 있어요?

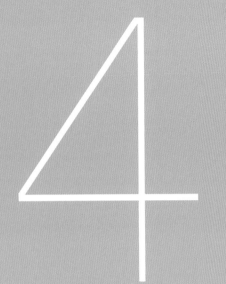

4

폭설로 인해서 많은 피해가 발생하고 있습니다

사건과 사고를
서술할 수 있다.

어휘와 표현

사건과 사고

문법

(으)로 인해서, -(으)면서

❶ 다음은 사건과 사고에 대한 사진입니다. 여러분이 보거나 직접 겪은 사건이나 사고가 있습니까?

❷ 다음의 사진은 한국에서 계절에 따라 자주 발생하는 자연재해 입니다. 여러분의 나라는 어떻습니까?

봄　　　　　　　　여름　　　　　　　　가을　　　　　　　　겨울

문법

(으)로 인해서

앞에 나오는 내용이 원인이나 이유가 됨을 나타낸다. '(으)로 인해'라고도 할 수 있다.

산불 때문에 축구장 3개 크기의 숲이 피해를 입었습니다.

▶ 산불로 인해서 축구장 3개 크기의 숲이 피해를 입었습니다.

사고 때문에 길이 많이 막히고 있습니다.

▶ 사고로 인해 길이 많이 막히고 있습니다.

⊕ 더 알아봐요

'(으)로 인해서'의 사용

공식적인 말이나 글에서 주로 사용한다.

ㅇ 발목 부상으로 인해 집에서 쉬었어. (×)
ㅇ 발목 부상으로 인해 경기에 출전하지 못했습니다. (○)

(1.) 다음과 같이 알맞은 말을 연결하고 문장을 만들어서 말해 보십시오.

전쟁으로 인해서 사람들이 많이 다치고 죽었다.

1) 전쟁 •‑‑‑‑‑‑‑‑‑‑‑‑‑‑‑‑‑‑‑‑‑‑‑• 사람들이 많이 다치고 죽었다
2) 지진 • • 밤에 잠을 자기 어렵다
3) 심한 추위 • • 학교를 그만두는 학생이 늘었다
4) 옆집의 소음 • • 건물이 흔들리고 무너졌다
5) 학업 스트레스 • • 감기에 걸린 사람들이 많아졌다

⊕ 더 알아봐요

'(으)로 인한 + 명사'

뒤에 명사가 올 때는 '(으)로 인한 + 명사'의 형태로 사용한다.

ㅇ 태풍으로 인한 피해가 매우 큽니다.
ㅇ 스트레스로 인한 건강 문제가 심각합니다.

(2.) 다음의 문제 때문에 나타난 결과를 이야기해 보십시오.

1) 환경 오염
2) 화재
3) 교통사고
4) 스트레스

환경 오염으로 인해서 지구의 기온이 올라갔습니다.

듣고 말하기

1. 다음 대화를 잘 듣고 질문에 답하십시오.

1) 공항에는 무슨 일이 있었습니까?

① 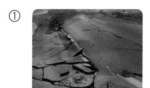　② 　③

2) 들은 내용과 같으면 ○, 다르면 × 표시를 하십시오.

① 태풍이 불어서 비행기가 출발하지 못한다.　（　）

② 비행기는 오늘 저녁에 공항에서 출발할 것이다.　（　）

2. 여러분이 보거나 직접 겪은 사건이나 사고가 있습니까?
다음과 같이 이야기해 보십시오.

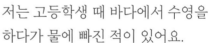
저는 고등학생 때 바다에서 수영을
하다가 물에 빠진 적이 있어요.

	이름	언제	어디서	사건이나 사고
1)	재민	고등학생 때	바다	수영을 하다가 물에 빠졌다
2)				
3)				

02

대화

(1.) 폭설에 대한 뉴스입니다. 어떤 피해가 났는지 이야기해 보십시오.

아나운서: 어제저녁부터 강원 지역에 많은 눈이 내리고 있습니다.
현장에 나가 있는 이재욱 기자 연결하겠습니다.

기자: 네. 저는 지금 강원도 속초 시청 앞에 나와 있습니다. 어제부터 30cm가 넘는 눈이 쌓이면서 많은 피해가 발생하고 있습니다. 폭설로 인해 강원 지역을 오가는 모든 항공기 운항이 취소되었고, 교통사고가 이어지면서 부상자가 발생하고 있습니다.

아나운서: 그렇군요. 많은 피해가 있지만, 다행히 사망 사고는 없다고요?

기자: 네. 아직까지 사망자는 발생하지 않았습니다. 하지만 계속해서 눈이 내리고 있어서 주의가 필요합니다.

아나운서: 이재욱 기자 감사합니다.

1) 폭설이 내린 지역은 어디입니까?

2) 폭설 때문에 어떤 피해가 있었습니까?

⊕ 더 알아봐요

한국의 지역 구분

인천광역시
서울특별시
강원도
경기도
세종특별자치시
충청북도
충청남도
울릉도
대전광역시
경상북도
독도
전라북도
대구광역시
광주광역시
울산광역시
경상남도
전라남도
부산광역시

제주특별자치도

대화 속 문법

한국 친구를 만나면서 한국에 관심을 갖게 되었어요.
길이 얼면서 교통사고가 발생했어요.

-(으)면서

앞의 내용과 연계되어 뒤의 내용이 일어남을 나타낼 때 사용한다.

(1.) 다음 문장을 '-(으)면서'를 사용해서 한 문장으로 말해 보십시오.

1) 여행을 다니다 / 인생이 즐거워졌다.

_____.

2) 한국 노래를 자주 듣다 / 듣기 실력이 향상되었다.

_____.

3) 오랫동안 비가 내리지 않다 / 산불이 자주 발생하고 있다.

_____.

발음 🔊	운항 → [운항/우낭]	'ㅎ'이 'ㄴ' 다음에 오면 [ㅎ]을 발음하지 않거나, 약하게 발음할 수 있다.	▷ 다음을 읽어 볼까요? • **가만히** 누워 있다. • 매달 **꾸준히** 저축하고 있다.

어휘와 표현

사건과 사고

가뭄	홍수
폭발	폭우
폭설	산사태

전염병

피해가 발생하다	다치다/부상을 당하다	실종되다
죽다/사망하다	부상자	사망자

---

1. 빈칸에 알맞은 말을 넣어 문장을 완성해서 말해 보십시오.

1)
많은 비로 인해서 _____ 이/가 발생했고 많은 사람이 실종되었다.

2)
폭우로 인해서 _____ 이/가 발생해서 다섯 명이 사망했다.

3)
_____ (으)로 인해서 길이 얼어서 교통사고가 발생했다.

4)
_____ 이/가 발생해서 많은 사람들이 병원에 입원했다.

---

2. 최근에 들은 사건 또는 사고 소식을 위에서 배운 어휘를 사용해서 이야기해 보십시오.

> 고등학교에서 과학 시간에 실험을 하다가 폭발 사고가 발생하면서 학생 3명과 선생님이 부상을 당했대요.

1. 다음 글을 읽고 신문 기사의 중요한 내용을 정리해 보십시오.

오늘 낮 12시 반쯤 인천 앞바다에서 낚싯배가 불에 타는 사고가 발생했다. 다행히 불이 나자마자 근처 낚싯배가 검은 연기를 발견하고 119에 신고를 했다. 신고를 받은 즉시 경찰은 현장에 출동해 승객들을 구조했다. 경찰과 함께 근처의 배들이 구조를 도와주면서 사고 접수 1시간 만에 5명의 승객이 모두 무사히 구조되었다. 구조 직후, 배는 불에 타서 바다에 가라앉았다. 경찰은 배의 아랫부분에서 불이 시작되었다는 승객들의 진술에 따라 사고 원인을 조사하고 있다.

시간	장소

피해 내용

원인

친구가 쓴 내용을 읽어 보고 여러분 나라의 말로 번역해서 말해 보십시오.

- 친구와 글을 읽어 보고 언제, 어디에서, 무슨 사건 또는 사고가, 왜 났는지를 파악해 보십시오.
- 파악한 내용을 여러분 나라의 말로 바꿔서 다른 친구에게 이야기해 주십시오.

2. 여러분 나라에서 발생한 자연재해나 사건·사고에 대해 신문 기사처럼 써 보십시오.

언제 발생했습니까?	어디에서 발생했습니까?	어떤 피해가 있었습니까?	원인은 무엇입니까?

자기 점검

1. 사건과 사고를 서술할 수 있어요?
2. 사건과 사고로 인한 피해를 말할 수 있어요?

5

어떤 앱을 주로 사용하냐면요

앱 이용 방법을
설명할 수 있다.

어휘와 표현

인터넷

문법

-냐면,
-기가 쉽다, 어렵다, 힘들다, 편하다

S | 4A
5

❶ 여러분은 인터넷으로 무엇을 자주 합니까?

Search

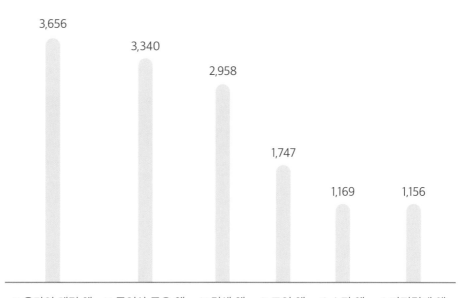

❷ 다음의 그림은 한국인들이 가장 많이 사용하는 휴대폰 앱입니다.

3,656

3,340

2,958

1,747

1,169   1,156

K 온라인 채팅 앱   Y 동영상 공유 앱   N 검색 앱   B 모임 앱   C 쇼핑 앱   S 간편결제 앱

[단위 : 명]

· 인터넷 검색 · 이메일 · 동영상 시청 · 온라인 쇼핑

문법

-냐면

'-냐고 하면'의 줄임 표현으로, 질문을 반복하면서 뒤의 내용을 이야기할 때 쓴다.

인터넷으로 뭘 자주 하냐고요? 온라인 쇼핑을 자주 해요.

▶ 인터넷으로 뭘 자주 하냐면 온라인 쇼핑을 자주 해요.

어떤 사람을 좋아하냐고요?

솔직한 사람을 좋아해요.

▶ 어떤 사람을 좋아하냐면 솔직한 사람을 좋아해요.

---

1. 다음과 같이 대화를 완성해서 말해 보십시오.

> 그 사람하고 왜 헤어졌어요?
>
> 그 사람하고 왜 헤어졌냐면 성격이 너무 맞지 않아서예요.

1) 가: 주말에 누구를 만났어요?

　　나: _____ 초능학교 동창을 만났어요.

2) 가: 이 사진에 있는 사람이 누구예요?

　　나: _____ 제가 예전에 짝사랑한 친구예요.

3) 가: 진 씨를 어떻게 알아요?

　　나: _____ 한국에서 공부할 때 기숙사에서 같이 살았어요.

4) 가: 이 식당에서 뭐가 맛있어요?

　　나: _____ 이 갈치조림이 맛있어요.

⊕ 더 알아봐요

'-냐면'의 사용

말하기에서 주로 사용한다.

○ 이 노트북이 얼마나 인기가 많냐면 하루 만에 예약 판매가 끝났대요. (○)

○ 이 노트북이 얼마나 인기가 많냐면 하루 만에 예약 판매가 끝났다. (×)

---

2. 다음 주제에 대해 이야기해 보십시오.

1) 이메일 주소

2) 자주 사용하는 앱

3) 채팅 아이디

4) 인터넷 쇼핑

> 이메일 주소가 뭐예요?
>
> 제 이메일 주소가 뭐냐면요, jmk@han.net이에요.

01

1. 다음 대화를 잘 듣고 질문에 답하십시오.

1) 두 사람은 무엇에 대해 이야기하고 있습니까?

① 한국 여행 계획

② 한국의 지역별 맛집

③ 추천하고 싶은 한국 여행지

④ 한국 여행 정보를 찾는 방법

2) 들은 내용과 같으면 ○, 다르면 × 표시를 하십시오.

① 한국관광공사 홈페이지에서 다양한 맛집 정보를 찾을 수 있다.　　(　　)

② 한국의 축제 정보를 찾기 위해서는 에스엔에스(SNS)를 활용해야 한다. (　　)

2. 다음은 누리-세종학당 홈페이지입니다.
누리-세종학당에서 무엇을 할 수 있는지 확인해 보십시오.

1) 여러분은 누리-세종학당에서 무엇을 하고 싶습니까? 이야기해 보십시오.

2) 한국어 책을 보기 위해서 선택할 수 있는 항목들은 무엇입니까?

대화

1. 한국의 택시 앱에 대한 대화를 나누고 있습니다. 택시 앱의 특징을 이야기해 보십시오.

마리: 재민 씨, 저 다음 주에 한국으로 출장을 가는데 궁금한 게 있어요. 한국에서도 택시를 휴대폰 전화 앱으로 부를 수 있다고 들었는데 그 앱이 뭐예요?

재민: 그 앱이 뭐냐면요. 바로 이거예요.

마리: 아, '빠른택시' 앱. 고마워요. 지금 바로 다운 받아 놓아야겠어요.

재민: 네. 이 앱은 여기에 도착지를 입력하면 택시 도착 시간과 요금을 모두 알 수 있어서 사용하기 편해요. 이 '부르기' 버튼을 누르면 택시를 부를 수 있어요.

마리: 우리 나라 앱이랑 비슷하네요. 그런데 택시를 부르면 빨리 와요?

재민: 그럼요. 그리고 한국에는 길에 택시가 많이 있으니까 그냥 택시를 잡아서 탈 수도 있어요.

1) 재민 씨가 소개해 준 택시 앱은 무엇입니까?

2) 앱을 이용해서 택시를 타면 어떤 점이 좋습니까?

⊕ 더 알아봐요

한국에서 많이 사용하는 교통 관련 앱

| 택시 | | | | |

티맵택시, 카카오택시, 마카롱택시

| 지하철 | | | | |

카카오지하철, 지하철종결자, 또타지하철

| 내비게이션 | | | |

티맵, 카카오내비, 네이버 지도

대화 속 문법

이 앱을 사용하면 길을 찾기가 쉬워요.

실업 문제는 정말 풀기 어려운 사회 문제인 것 같아요.

-기가 쉽다, 어렵다, 힘들다, 편하다

앞에 나오는 일을 하거나 그 일이 일어나는 것이 쉽거나 어렵다는 것을 말할 때 사용한다.

1. 다음 문장을 '-기가 쉽다, 어렵다, 힘들다, 편하다'를 사용해서 완성해 보십시오.

1) 눈길에서 주머니에 손을 넣고 걸으면 .... (넘어지다)

2) 제 이름은 받침이 많아서 외국인이 .... (발음하다)

3) 피아노는 너무 무거워서 .... (옮기다)

어휘와 표현

인터넷

 검색하다 / 찾다

 업로드하다 / 올리다

다운 받다 / 내려받다

 설치하다 / 깔다

복사하다 / 붙여 넣다

 댓글을 달다

 파일을 첨부하다

아이디를 만들다

클릭하다 / 누르다

온라인 강의를 듣다

화상 회의를 하다

사이트에 가입하다

---

1. 알맞은 말을 골라 문장을 완성해서 말해 보십시오.

1) 저는 에스엔에스(SNS)에 음식 사진을 많이 ....

2) 인터넷 속도가 느려서 사이트에서 동영상을 .... 때 시간이 오래 걸려요.

3) 인터넷에 있는 글을 .... 똑같이 쓰면 안 돼요.

4) .... 메일을 보내야 하는데 깜빡하고 그냥 보냈어요.

5) 컴퓨터를 안전하게 사용하려면 바이러스를 막는 프로그램을 ....

2. 여러분이 휴대폰으로 자주 하는 일을 골라 이야기해 보십시오.

저는 휴대폰으로 모르는 단어를 자주 검색해요. 특히 이 앱은 사용하기 편해서 단어를 찾을 때 자주 써요.

말하고 쓰기

여러분은 어떤 앱을 자주 사용합니까? 그중에 유용하게 사용하는 앱 한 가지를 골라 소개해 보십시오.

> 저는 '톡톡' 앱을 자주 사용해요. 친구들하고 쉽게 대화할 수 있고, 사진을 주고받을 수도 있어서 편리해요. '톡톡'에서는 이렇게 여기를 누르고 친구의 전화번호를 등록하면 친구 등록을 할 수 있어요.

앱 이름

사용 방법

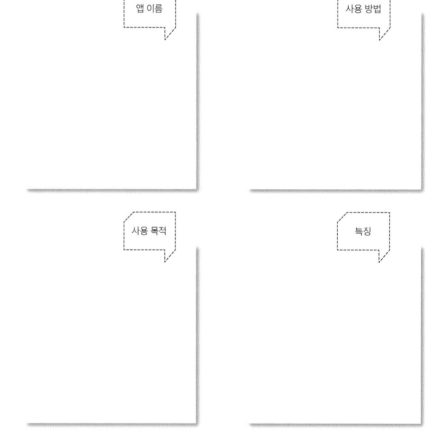

사용 목적

특징

⊗ 이렇게 해 봐요

어떤 앱을 자주 사용하는 이유는 무엇일까? 한번 생각해 보자.

○ 무료이다.
○ 사용자가 많다.
○ 사용이 편리하다.
○ 다양한 자료가 많다.
○ ....
○ ....

 자주 사용하는 앱에 대한 친구의 이야기를 한국어로 통역해 보십시오.

- 세 명이 모둠을 만듭니다. 한 명이 여러분 나라의 말로 자주 사용하는 앱에 대해 이야기합니다.
- 그 내용을 다른 친구에게 한국어로 통역해 줍니다.
- 역할을 바꾸어서 다시 해 봅시다.

2. 위에서 이야기한 내용을 바탕으로 여러분이 유용하게 사용하는 앱을 한국 사람에게 소개해 주는 블로그 글을 써 보십시오.

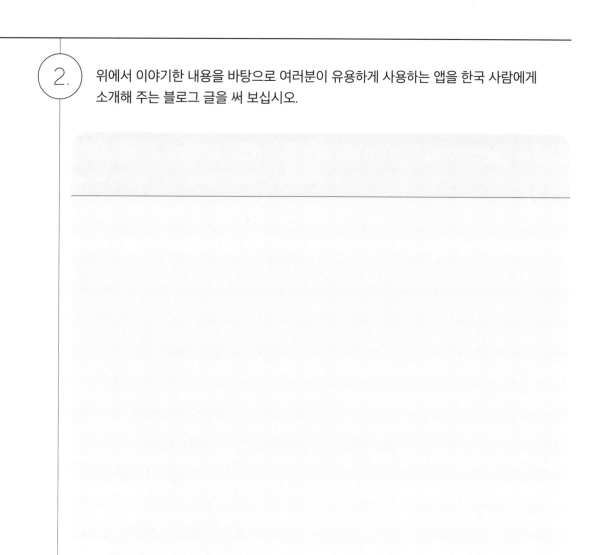

자기 점검

1. 유용한 사이트나 앱을 소개할 수 있어요?
2. 컴퓨터나 앱 이용 방법을 설명할 수 있어요?

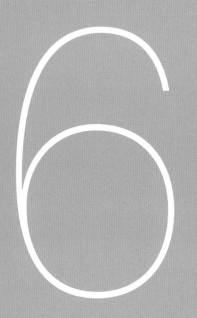

6

마늘은 면역력을 높여 줄 뿐만 아니라 암 예방에도 좋습니다

건강식품을
소개할 수 있다.

어휘와 표현

식품의 효과

문법

-(으)ㄹ 뿐만 아니라,
-게 하다

S | 4A

◁ⴘ | 6

❶ 다음과 같은 건강 문제가 있을 때 어떤 음식을 먹으면 좋을까요?

❷ 한국 사람들은 다음과 같은 건강식품을 많이 먹습니다.
여러분은 어떻습니까?

문법

-(으)ㄹ 뿐만 아니라

앞에 나오는 내용에 뒤에 나오는 내용까지 더해진다는 것을 나타낸다.

브로콜리는 비타민 C가 많고 칼슘도 풍부하다.

▶ 브로콜리는 비타민 C가 많을 뿐만 아니라 칼슘도 풍부하다.

대중교통을 이용하면 교통비를 아낄 수 있고
환경 보호도 실천할 수 있습니다.

▶ 대중교통을 이용하면 교통비를 아낄 수 있을 뿐만 아니라
환경도 보호할 수 있습니다.

---

1. 다음과 같이 알맞은 말을 연결하고 문장을 만들어서 말해 보십시오.

 토마토는 불면증에 효과적일 뿐만 아니라 피부에도 좋아요.

1) 토마토는 불면증에 효과적이다 •·································• 피부에 좋다
2) 이 식당은 음식이 맛있다 • • 지루하다
3) 유진 씨는 일을 빨리 끝내다 • • 가격이 싸다
4) 지금 하는 일은 적성에 잘 맞다 • • 월급이 많다
5) 이 소설책은 내용이 길고 복잡하다 • • 실수가 없다

2. 다음 주제에 대해 이야기해 보십시오.

1) 지금 사는 곳
2) 식당/카페
3) 가수/배우 .... 씨
4) 영화 ....

 지금 사는 곳은 학교에서 가까울 뿐만 아니라 방도 깨끗하고 넓어요.

1. 다음 대화를 잘 듣고 질문에 답하십시오.

1) 아몬드를 먹으면 무엇이 좋습니까? 모두 써 보십시오.

2) 들은 내용과 같으면 ○, 다르면 × 표시를 하십시오.

① 안나는 건강을 위해 아몬드를 먹고 있다. ( )
② 수지는 안나 덕분에 아몬드의 새로운 효과를 알게 되었다. ( )

2. 여러분이 알고 있는 건강에 좋은 식품을 이야기해 보십시오.

⊕ 더 알아봐요

우리 몸에 필요한 5대 영양소

탄수화물

지방

단백질

비타민

무기질

사과는 비타민이 풍부해서 피곤할 때 먹으면
효과가 좋을 뿐만 아니라 장 건강에도 많은
도움이 돼요. 그래서 저는 아침마다 사과를
하나씩 챙겨 먹어요.

대화

⊕ 더 알아봐요

음식 냄새 관련 표현

○ 향이 강하다
○ 향이 진하다
○ 향이 풍부하다
○ 향이 독특하다
○ 향이 상큼하다

⊗ 이렇게 읽어요

○ A4(에이포) 용지
○ 비타민 B1(비원)
○ 3D(스리디) 영화
○ 5G(파이브지) 휴대폰

(1.) 건강에 좋은 식품을 소개하고 있습니다. 식품의 효과를 알아보십시오.

02

진행자: 오늘 여러분에게 소개해 드릴 건강식품은 독특한 향으로 유명한 '마늘'입니다. 세계 10대 건강식품으로 선정된 마늘은 강한 향 때문에 ㉠사람들에게 외면을 받기도 합니다. 마늘의 독특한 향은 '알리신'이라는 성분 때문에 만들어지는데요. 이 알리신은 우리 몸의 면역력을 높여 줄 뿐만 아니라 암 예방에도 큰 효과가 있습니다. 또한 마늘에는 비타민 B1도 풍부하게 포함되어 있는데요. 비타민 B1은 현대인에게 반드시 필요한 비타민으로 피로를 회복하고 체력을 보충하게 해 줍니다. 강한 향만큼 건강에 좋은 마늘, 오늘부터 꾸준히 드셔 보시는 거 어떠세요?

1) '마늘'은 어떤 효과가 있습니까?

2) ㉠은 어떤 의미입니까?

대화 속 문법

생강차는 우리 몸을 따뜻하게 하는 효과가 있어요.

밖에 나가기 귀찮아서 친구들을 집으로 오게 했어요.

-게 하다

어떤 일을 하도록 시키거나 어떤 상태가 되도록 만드는 것을 나타낸다.

(1.) 다음 문장을 '-게 하다'를 사용해서 바꿔 보십시오.

1) 학생들이 연습을 해요. → 선생님이 학생들에게 ....

2) 학생들이 문장을 만들어요. → 선생님이 학생들에게 ....

3) 학생들이 한국 뉴스를 들어요. → 선생님이 학생들에게 ....

| 발음 🔊 | 면역력 [며녁녁] → [며녕녁] | 받침 'ㄱ' 뒤에 'ㄹ'이 오면 뒤에 오는 'ㄹ'은 [ㄴ]으로 발음하고, 받침 'ㄱ'은 [ㄴ]을 만나 [ㅇ]으로 발음한다. | ▷ 다음을 읽어 볼까요?
• 올해 집을 나와 **독립을** 했다.
• 퇴근길에 **강변북로가** 많이 막혔다. |

어휘와 표현

식품의 효과

| 뼈를 튼튼하게 하다 | 소화가 잘되다 | 시력을 보호하다 |

 체력을 보충하다 피로 회복에 좋다

암을 예방하다 | 기억력을 향상시키다 면역력을 높이다

1. 알맞은 말을 골라 문장을 완성해서 말해 보십시오.

1) 가: 하루 종일 일이 많아서 너무 피곤하네요.

　나: 그럼 이 레몬차 한 잔 드셔 보세요. 레몬은 비타민 C가 풍부해서 ....

　.

2) 가: 요즘 눈이 점점 안 좋아지는 것 같아서 걱정이에요.

　나: 블루베리를 꾸준히 먹어 보는 거 어때요? 블루베리는 ....

　대표적인 식품이에요.

3) 가: 아침마다 양배추로 주스를 만들어 마시니까 확실히 ....

　것 같아요.

　나: 그렇죠? 속이 안 좋을 때는 양배추가 제일 좋아요.

4) 가: 요즘 감기에 잘 걸리고 한번 걸리면 예전보다 오래 가요.

　나: 면역력이 떨어져서 그래요. 생강이나 버섯처럼 ....

　음식들을 잘 챙겨 드세요.

5) 가: 너도 이 호두 좀 먹어 봐. 호두가 .... 효과가 있대.

　나: 그래? 시험 전까지 열심히 먹어야겠다! 그러면 머리가 좋아지겠지?

6) 가: 오늘 저녁에 뭘 먹을까요? 힘이 나는 음식을 먹고 싶은데 ….

　나: 그럼 두부를 먹으러 가요. 두부는 단백질이 풍부해서 ....

　싶을 때 먹으면 좋아요.

⊕ 더 알아봐요

식품의 효과를 설명할 때 같이 사용하는 표현

'하다, 시키다, 높이다'와 같은 동사로 끝나는 효과는 주로 '-아/어 주다'와 같이 사용한다.

○ 시금치는 뼈를 튼튼하게 해 줘요.
○ 토마토는 우리 몸의 면역력을 높여 줘요.

2. 다음과 같이 식품의 효과를 이야기해 보십시오.

토마토는 비타민과 무기질이 풍부해서 소화가 잘되게 해 줄 뿐만 아니라 면역력을 높여 주는 효과도 뛰어납니다.

토마토	
브로콜리	
시금치	

1. 다음 글을 읽고 질문에 답하십시오.

뿌리채소 '당근'의 놀라운 효과!

우리 몸에 좋은 채소로 잘 알려진 당근. 그렇지만 당근은 우리가 알고 있는 것보다 더 다양한 효과를 가지고 있다. 먼저, 당근은 '비타민 A'가 풍부한 채소이기 때문에 시력을 보호하는 효과가 크다. 또한, 면역력을 높이는 '베타카로틴'이 풍부해 암을 예방할 수 있을 뿐만 아니라 노화 방지에도 매우 효과적이다.

당근을 고를 때에는 주황색이 선명한 것을 골라야 하는데, 그 이유는 색이 선명한 당근에 '베타카로틴'이 더욱 풍부하게 포함되어 있기 때문이다. 그리고 당근의 껍질 부분에 '베타카로틴'이 많기 때문에 요리할 때 껍질을 벗기지 않는 것이 좋고, 기름에 살짝 볶아서 요리하면 영양분이 몸에 더 잘 흡수되게 할 수 있다.

- 같이 먹으면 좋은 음식: 사과
- 같이 먹으면 안 좋은 음식: 오이

1) '당근'은 어떤 효과가 있습니까? <u>모두</u> 쓰십시오.

2) 윗글의 내용과 같은 것은 무엇입니까?

　① 당근은 껍질을 벗겨서 먹는 것이 좋다.

　② 당근은 오이와 함께 먹으면 더욱 좋다.

　③ 당근은 주황색이 선명한 것이 건강에 더 좋다.

　④ 당근은 기름에 볶지 않고 요리하는 것이 좋다.

윗글을 여러분 나라 말로 번역해 보십시오.

- 글의 내용을 짝과 한 문단씩 맡아 여러분 나라의 말로 번역해 보십시오.
- 번역한 내용을 읽어 보고 맞는지 확인해 보십시오.

여러분이 좋아하는 식품의 효과와 그것을 더욱 건강하게 먹을 수 있는 방법을
소개하는 글을 써 보십시오.

⊕ 더 알아봐요

**요리 방법을 설명할 때
사용하는 표현**

삶다

데치다

굽다

볶다

튀기다

··

··

··

··

··

··

··

··

··

··

··

··

··

자기 점검

1. 식품의 효과를 소개할 수 있어요?
2. 건강식품을 소개할 수 있어요?

7

버스가 흔들려서 넘어질 뻔했어요

자신의 경험을
서술할 수 있다.

어휘와 표현

감정

문법

-(으)ㄹ 뻔하다,
아무 명사 (이)나

❶ 이 사람들은 어떤 감정을 느낄까요? 여러분도 이와 비슷한 경험이
   있습니까?

❷ 다음은 한국 사람들이 즐거울 때, 슬플 때, 당황했을 때 내는 소리나
   모양을 표현한 말입니다. 여러분 나라에서는 소리나 모양을 어떻게
   표현합니까?

하하	훌쩍훌쩍	앗, 아차	와
호호	흑흑	어머나	앗싸
깔깔	엉엉	아이구	야호
키득키득	글썽글썽	엄마야	꽈당
크크크	울먹울먹		쿵!, 쾅!
			우당탕

문법

-(으)ㄹ 뻔하다

어떤 일이 실제로 일어나지는
않았지만 그럴 가능성이 매우
높았음을 나타낸다.

공항에 늦게 도착해서 비행기를 겨우 탔어요.

조금만 늦었으면 못 탔을 거예요.

▶ 공항에 늦게 도착해서 비행기를 못
  탈 뻔했어요.

핸드폰을 보면서 걷다가 나무 바로 앞에서 멈췄어요.

조금만 더 갔으면 부딪쳤을 거예요.

▶ 핸드폰을 보면서 걷다가 나무에 부딪칠 뻔했어요.

⊕ 더 알아봐요

'-아서/어서 죽을 뻔하다'

과거에 어떤 상태였음을 과장하는
의미로 사용한다. 주로 말할 때
사용한다.

○ 배가 고파서 죽을 뻔했어요.
○ 그 드라마의 주인공이 어떻게
  될지 궁금해서 죽을 뻔했어요.

1. 다음과 같이 알맞은 말을 연결하고 문장을 만들어서 말해 보십시오.

> 눈길을 걷다가 미끄러져서
> 넘어질 뻔했어요.

1) 눈길을 걷다   •----------• 미끄러져서 넘어지다
2) 뒷주머니에서 휴대폰을 꺼내다 •   • 영화를 못 보다
3) 운전하면서 다른 생각을 하다 •   • 바닥에 떨어뜨리다
4) 피곤해서 지하철에서 졸다   •   • 사고가 나다
5) 영화 시간을 잘못 알다   •   • 내릴 곳을 지나치다

2. 실수를 하거나 큰일이 날 뻔한 경험을 이야기해 보십시오.

> 저는 늦게 일어나서 약속 시간에 늦을 뻔했어요.
> 그래서 빨리 가려고 뛰다가 넘어질 뻔했어요.

듣고 말하기

1. 다음 대화를 잘 듣고 질문에 답하십시오.

1) 안나는 지갑을 어디에 두고 왔습니까?

①    ②    ③

2) 들은 내용과 같으면 ○, 다르면 × 표시를 하십시오.

① 안나는 잃어버린 지갑을 다시 찾았다.　　（　　）

② 안나는 신분증과 카드를 새로 발급받았다.（　　）

2. 여러분은 다음과 같은 감정을 느낀 경험이 있습니까? 다음과 같이 이야기해 보십시오.

> 지난번에 놀이공원에 갔는데 사람들이 정말 많았어요. 사진을 찍고 있는데 뒤에서 어떤 사람이 갑자기 제 어깨를 치는 바람에 카메라를 떨어뜨릴 뻔했어요. 깜짝 놀라서 돌아봤는데 그 사람도 당황하더라고요. 저를 친구로 착각했나 봐요.

부끄러웠을 때

....

....

....

당황스러웠을 때

....

....

....

자신이 자랑스러웠을 때

....

....

대화

1. 당황스러웠던 경험에 대해 대화를 나누고 있습니다. 마리가 무슨 실수를 했는지 이야기해 보십시오.

마리: 지난번에 한국 여행 가서 버스를 탔을 때 좀 당황스러운 일이 있었어요.

주노: 무슨 일이었는데요?

마리: 버스를 탔는데 앞쪽에 빈자리가 있어서 아무 데나 앉았거든요. 근데 다른 사람들은 그냥 서 있는 거예요. 그래서 자세히 살펴보니까 제가 앉은 자리에 교통약자석 표시가 있더라고요.

주노: 맞아요. 버스 앞쪽은 거의 교통약자석이에요.

마리: 저는 그걸 몰랐어요. 그래서 그 표시를 보고 얼른 일어났죠. 근데 그때 버스가 흔들려서 넘어질 뻔했어요. 사람들이 다 쳐다봐서 너무 창피했어요.

주노: 몰랐으니까 그럴 수 있죠. 그런데 보통 교통약자석은 어르신이나 몸이 불편한 사람이 타면 앉을 수 있게 비워 둬요.

1) 마리 씨는 버스에 탄 후에 어떻게 했습니까?

2) 다른 사람들은 왜 빈자리에 앉지 않았습니까?

3) 마리 씨가 자리에서 일어날 때 무슨 일이 있었습니까?

⊕ 더 알아봐요

다른 사람의 이야기를 들으면서 호응하는 표현

○ 그래요?
○ 정말요?
○ 그러게 말이에요.
○ 그랬구나.
○ 물론이지.
○ 어떡해요.
○ 아이고.

대화 속 문법

방학이라서 시간이 많으니까 아무 때나 오세요.

아무거나 막 만지면 안 돼요.

아무 명사 (이)나

여러 가지 중에서 특별히 정해지지 않은 어떤 대상을 나타낼 때 쓴다.

1. 다음 대화를 '아무 명사 (이)나'를 사용해서 완성해 보십시오.

1) 가: 점심 때 뭘 먹을까요?

   나: 배가 고프니까 _____ .

2) 가: 휴가 때 바다로 갈까요, 산으로 갈까요?

   나: 둘 다 좋으니까 _____ .

3) 가: 창가 자리와 통로 자리 중에서 어디로 드릴까요?

   나: 비행시간이 짧으니까 _____ .

⊕ 더 알아봐요

'아무나'

'아무나'는 특별히 정해지지 않은 어떤 사람을 나타낼 때 사용한다.

○ 아무나 빨리 와 줬으면 좋겠어요.
○ 그는 착해서 아무나 다 잘 믿는다.

어휘와 표현

감정

창피하다

얼굴이 빨개지다

얼굴을 들 수가 없다

떨리다

자랑스럽다

보람을 느끼다

당황스럽다

깜짝 놀라다

가슴이 두근거리다

1. 알맞은 말을 골라 문장을 완성해서 말해 보십시오.

1) 사람들 앞에 나가서 노래를 불렀는데 너무 부끄러워서 ....

2) 뒤에서 누가 갑자기 어깨를 치는 바람에 .... 돌아봤어요.

3) 학생들의 실력이 향상되는 모습을 보면서 가르치는 ....

4) 그 소문은 너무 황당하고 .... 이야기였어요.

5) 시험을 너무 못 봐서 부모님께 성적표를 보여 드리기가 ....

2. 여러분이 오늘 느낀 감정을 이야기해 보십시오.

오늘 세종학당에 오다가 길에서
넘어지는 사람을 봤어요.
깜짝 놀랐어요.

읽고 쓰기

1. 다음 글을 읽고 질문에 답하십시오.

되돌아보면 나 자신이 자랑스럽다고 느낀 때가 몇 번 있다. 그중에 가장 기억에 남는 것은 대학교 1학년 때 한 달 동안 주유소에서 아르바이트를 한 것이다. 오전 8시부터 오후 5시까지 차에 기름을 넣고, 세차를 하고, 주유소 곳곳을 청소했다. 일도 힘들었지만 기름 냄새에 적응하는

것도 쉬운 일이 아니었다. 첫날은 기름 냄새 때문에 점심을 먹다가 토할 뻔했다. 실수하지 않으려고 긴장하면서 일해서 그런지 다음 날 아침에는 온몸이 맞은 것처럼 아팠다. 늦게 일어나서 지각할 뻔한 적도 있었다.

그래도 한 달 동안 꾹 참고 열심히 일해서 월급을 받았다. 태어나서 처음 받아 본 월급이었다. 그 돈으로 부모님께 옷을 사 드렸다. 그리고

열심히 일한 나를 위해 무선 이어폰을 샀다. 직접 일해서 번 돈으로 부모님께 선물도 사 드리고 평소에 갖고 싶은 물건도 사서 스스로가 자랑스럽게 느껴졌다.

1) '나'는 주유소에서 어떤 일을 했습니까?

2) 아르바이트를 해서 받은 월급으로 무엇을 했습니까?

3) 그래서 어떤 감정을 느꼈습니까?

윗글을 여러분 나라 말로 번역해 보십시오.

- 글에서 가장 기억에 남는 문장을 골라 보십시오.
- 글의 내용을 친구와 함께 한 문장씩 번갈아 가면서 번역해 보십시오.

2. 자신이 자랑스럽다고 느낀 적이 있습니까? 언제, 어떤 경험을 하면서 그런 감정을 느꼈는지 글을 써 보십시오.

....

....

....

....

....

....

....

....

....

....

....

....

자기 점검

1. 자신의 경험을 말할 수 있어요?
2. 그때의 감정을 표현할 수 있어요?

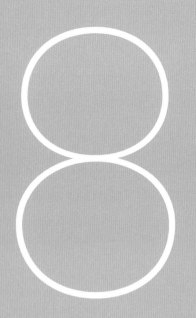

8

가을이 되면
잘 익은 감이
주렁주렁 달렸다

추억 속의 장면을
묘사할 수 있다.

어휘와 표현

풍경

문법

-는/(으)ㄴ/(으)ㄹ 듯이,
피동(-이-, -히-, -리-, -기-)

❶ 여러분은 어린 시절에 대해 어떤 추억이 있습니까?

❷ 예전부터 한국에서 어린이들이 많이 하던 놀이입니다. 여러분은 어린 시절에 어떤 놀이를 했습니까?

딱지치기

팽이치기

공기놀이

문법

-는/(으)ㄴ/(으)ㄹ 듯이

뒤에 나오는 상황이 앞의 상황과
매우 비슷하거나 같은 정도임을
비유적으로 표현할 때 쓴다.

풍경이 한 폭의 그림을 보는 것처럼 아름다웠어요.

▶ 풍경이 한 폭의 그림을 보는 듯이 아름다웠어요.

밤 10시가 되니까 모두가 잠든 것 같이 주위가 조용해졌어요.

▶ 밤 10시가 되니까 모두가 잠든 듯이 주위가 조용해졌어요.

1. 다음과 같이 알맞은 말을 연결하고 문장을
만들어서 말해 보십시오.

> 합격했다는 말을 들은 학생은
> 뛸 듯이 기뻐했어요.

1) 합격했다는 말을 들은 학생, 기뻐하다 •⋯⋯⋯⋯⋯⋯• 뛰다
2) 강아지, 꼬리를 흔들다 • • 신기하다
3) 그 남자, 급하게 떠나다 • • 반갑다
4) 마술 공연을 보는 아이, 눈을 크게 뜨다 • • 도망치다
5) 두 사람, 큰 소리로 이야기하다 • • 서로 싸우다

2. 다음과 같이 사진을 표현해 보십시오.

> 좋아하는 사람을 만난 듯이
> 환하게 웃고 있어요.

1) 좋아하는 사람을 만나다
— 환하게 웃다

2) 편지를 읽고 감동하다
— 눈물을 흘리다

3) 화가 나다
— 얼굴을 찡그리다

4) 기쁜 일이 생기다
— 콧노래를 부르다

5) 놀라운 것을 보다
— 눈을 크게 뜨다

6) 고민이 있다
— 심각한 얼굴을 하다

⊕ 더 알아봐요

**'-는/(으)ㄴ/(으)ㄹ 듯이'의
사용**

'-는/(으)ㄴ/(으)ㄹ 듯이'는 추측의
의미로도 사용한다.

○ 수진 씨가 감기에 걸린 듯이
보여요.

'-는/(으)ㄴ/(으)ㄹ 듯하다'의
형태로도 사용할 수 있다.

○ 수진 씨가 계속 기침을 해요.
아마 감기에 걸린 듯해요.

읽고 듣기

1.

다음 글을 읽고 질문에 답하십시오.

　이 사진은 어렸을 때 가족과 함께 물놀이를 가서 찍은 것이다. 언니들과 물에서 놀다가 잠깐 바위에 앉아서 쉬고 있는 모습이다. 나는 머리에 꽃무늬가 있는 수영 모자를 쓰고 있다. 지금은 좀 촌스러운 듯이 보이지만 그때는 그 모자가 최신 유행이었다. 이날 언니들이 물을 뿌리면서 장난을 쳐서 울기도 했지만 되돌아보면 좋은 기억이 더 많이 남아 있다. 아빠와 함께 낚시를 해서 물고기를 잡았을 때는 하늘을 날아갈 듯이 기뻤다. 그 물고기로 끓인 매운탕의 맛은 지금도 잊을 수가 없다.

1) 언제, 어디에서 찍은 사진입니까?

2) 이날 '나'는 왜 울었습니까?

3) '나'가 한 일이 <u>아닌</u> 것을 고르십시오.

　① 바위에 앉아서 쉬었다.

　② 언니들과 물놀이를 했다.

　③ 맛있는 도시락을 먹었다.

　④ 아빠와 물고기를 잡았다.

2.

다음 수지 씨와 주노 씨의 대화를 잘 듣고 질문에 답하십시오.

01

1) 두 사람은 지금 무엇을 하고 있습니까?

　① 해변에서 산책을 하고 있다.

　② 대학교 캠퍼스를 걷고 있다.

　③ 바다 위에서 수상 스키를 타고 있다.

　④ 대학교 강의실에서 수업을 듣고 있다.

2) 들은 내용과 같으면 ○, 다르면 × 표시를 하십시오.

　① 주노 씨는 이 도시에 있는 대학교를 졸업했다.　　　　　　　（　　）

　② 수지 씨는 이 바다에서 수상 스키를 자주 탔다.　　　　　　（　　）

　③ 주노 씨는 회사에서 스트레스를 받을 때마다 이 바다에 왔다.（　　）

대화

1.

김 선생님의 고향을 묘사한 글입니다. 동네가 어떤 모습이었는지 이야기해 보십시오.

나의 고향은 부산의 작은 동네이다. 우리 집은 초등학교 담장 옆으로 나 있는 골목 끝에 있었다. 동네 사람들이 우리 집을 '파란 대문 집'이라고 불렀다. 집 마당에는 감나무가 있었는데 가을이 되면 잘 익은 감이 주렁주렁 달렸다. 대문 밖에는 좁은 골목이 이어져 있었다. 골목 양쪽으로 늘어선 주택들 사이에 가끔 이가 빠진 듯이 비어 있는 공터가 있었다. 학교가 끝나면 공터에 모여서 친구들과 공놀이도 하고 술래잡기도 하면서 놀았다.

놀다 보면 어느새 골목은 자전거를 타고 퇴근하는 사람들로 붐볐다. 동네 사람들은 대부분 마을 근처에 있는 공장에서 일했다. 공장 굴뚝은 하늘을 찌를 듯이 높이 솟아 있어서 마을 어디에서나 잘 보였다. 20년도 더 지났지만 지금도 그 모습들이 눈에 선하다.

1) 김 선생님은 어렸을 때 어디에서 살았습니까?

2) 집 마당에는 무엇이 있었습니까?

3) 학교가 끝나면 어디에서 놀았습니까?

⊕ 더 알아봐요

'눈'에 대한 관용 표현

○ 눈에 선하다
○ 눈 깜짝할 사이
○ 눈이 빠지게 기다리다

대화 속 문법

밖에서 음악 소리가 들려요.

아이가 엄마에게 안겼어요.

1.

다음 문장을 '피동(-이-, -히-, -리-, -기-)'를 사용해서 바꿔 보십시오.

피동 (-이-, -히-, -리-, -기-)

다른 주체에 의해 그 행동이 일어났음을 나타낼 때 쓴다.

1) 제 방에서 바다를 볼 수 있어요.

→ 제 방에서 바다가 _____:

2) 친구가 제 발을 밟았어요.

→ 친구에게 제 발을 _____:

3) 경찰이 범인을 잡았어요.

→ 범인이 경찰에게 _____:

발음
🔊

대문집 → [대문찝]

한자어와 고유어가 결합해서 한 단어를 만들 때에 'ㄴ, ㄹ, ㅁ, ㅇ' 뒤에 오는 'ㄱ, ㄷ, ㅅ, ㅂ, ㅈ'은 [ㄲ], [ㄸ], [ㅃ], [ㅆ], [ㅉ]으로 발음하는 경우가 많다.

▷ 다음을 읽어 볼까요?
• 이제 **고생길이** 훤하다.
• 바람이 불자 **등불이** 흔들렸다.

어휘와 표현

풍경

그림 같다	인상적이다	배가 떠 있다
마을이 한눈에 보이다	사람들로 붐비다	산으로 둘러싸여 있다
고층 빌딩이 늘어서 있다	좁은 골목이 이어져 있다	푸른 들이 펼쳐져 있다

1. 알맞은 말을 골라 문장을 완성해서 말해 보십시오.

1) 서울 시내에는 하늘을 찌를 듯이 높은 _____:

2) 마을 뒷산에 있는 전망대에서 내려다보면 _____:

3) 한쪽 벽에 걸려 있는 그림이 아주 _____.

4) 꽃잎이 바람에 날리는 거리 풍경이 한 폭의 아름다운 _____:

5) 시장은 새벽부터 나와서 일하는 _____ 있었다.

6) 언덕에 올라가서 바다를 내려다보면 멀리 _____
   모습을 볼 수 있다.

2. 가장 기억에 남는 풍경을 이야기해 보십시오.

어릴 때 가족하고 스위스로 여행을 갔었는데
푸른 들판이 끝없이 펼쳐져 있었어요. 시간이
오래 지났지만 지금도 그 모습이 잊히지 않아요.

말하고 쓰기

1. 여러분의 고향이나 가 본 곳 중에서 가장 기억에 남는 곳을 이야기해 보십시오.

1) 그곳이 어디입니까?

2) 동네가 구체적으로 어떤 모습이었습니까?

3) 그 동네를 생각하면 떠오르는 추억이 있습니까?

> 저는 어렸을 때 바닷가 어촌 마을에서 살았어요. 마을 사람들은 대부분 배를 타고 바다에 나가서 물고기를 잡았어요. 먼 바다에 크고 작은 배들이 떠 있었어요. 거기서 열 살까지 살았는데….

⊗ 이렇게 해 봐요

기억에 남는 곳이 잘 떠오르지 않으면 다음과 같이 해 보자.

○ 먼저 생각나는 것을 모두 메모한다.
○ 다음에는 가장 인상적인 모습이나 장면을 중심으로 정리해서 말한다.

 고향에 대한 친구의 이야기를 한국어로 통역해 보십시오.

- 세 명이 모둠을 만듭니다. 한 명이 여러분 나라의 말로 여러분의 고향에 대해 이야기합니다.
- 그 내용을 다른 친구에게 한국어로 통역해 줍니다.
- 역할을 바꾸어서 다시 해 봅시다.

2. 여러분의 고향을 묘사하는 글을 써 보십시오.

⊗ 이렇게 해 봐요

동네를 묘사하는 글을 쓸 때 다음과
같은 내용을 생각하면서 써 보자.

○ 상황을 설명하려고 하지 말고
   그림을 그리듯이 표현한다.
○ 묘사할 순서를 정하고 순서에
   맞게 메모한 후에 쓴다.
○ 비유 표현을 사용해서 쓴다.

자기 점검

1. 자신의 추억을 말할 수 있어요?
2. 추억 속의 장면을 묘사할 수 있어요?

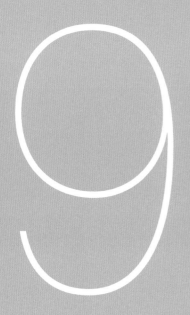

9

이번 주 방송 정말 볼 만하지 않았어?

방송에 대한 감상과
평가를 이야기할 수 있다.

어휘와 표현

감상과 평가

문법

-지 않아요?,
얼마나 -는다고요/ㄴ다고요/다고요

S 4A
9

❶ 여러분은 어떤 방송을 즐겨 봅니까?

❷ 요즘 한국에서는 어떤 방송 프로그램이 가장 인기 있습니까?
여러분 나라에서는 어떻습니까?

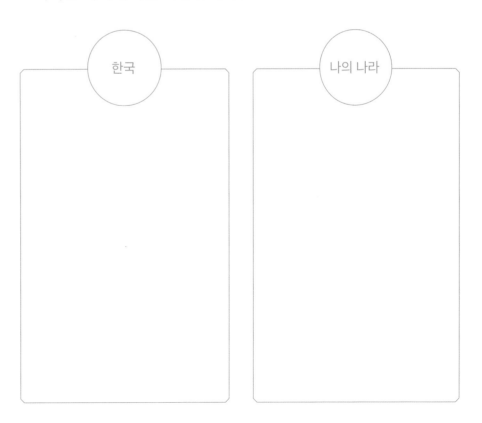

문법

-지 않아요?

자신의 의견을 강조하면서 상대방도
이에 동의하는지를 확인할 때 쓴다.

이 다큐멘터리 정말 감동적이에요.
▶ 이 다큐멘터리 정말 감동적이지 않아요?

음식이 상한 것 같아요.
▶ 음식이 상한 것 같지 않아요?

---

1. 다음과 같이 알맞은 말을 연결하고 문장을 만들어서 말해 보십시오.

이 드라마 연출이 정말 놀랍지 않아요?

1) 이 드라마 •················•	연출이 정말 놀랍다
2) 이 옷 •	• 너무 습하다
3) 불고기 •	• 만들기 어렵다
4) 오늘 날씨 •	• 분위기가 참 좋다
5) 이 카페 •	• 저한테 잘 어울릴 것 같다

2. 다음의 주제에 대해 이야기해 보십시오.

1) 방송

2) 음식

3) 유명한 사람

요즘 예능 프로그램 〈나만의 집〉
정말 볼 만하지 않아요?

네. 정말 재미있어요.

듣고 말하기

① 다음 대화를 잘 듣고 질문에 답하십시오.

1) 두 사람은 무엇에 대해 이야기하고 있습니까?

2) 들은 내용과 같으면 ○, 다르면 ✕ 표시를 하십시오.

① 안나는 출연자들의 실력에 실망했다. (　　)

② 유진은 응원하는 출연자가 있다. 　　(　　)

② 여러분이 요즘 즐겨 보는 방송에 대해 이야기해 보십시오.

⊕ 더 알아봐요

한국의 대표적인 지상파 방송

> 저는 요즘 음식 방송에 제일 관심이 많아요. 방송에 나온 식당에 직접 찾아가서 먹어 보기도 하고, 집에서 똑같이 만들어 먹기도 해요. 제일 즐겨 보는 프로그램은 〈맛있는 생각〉인데, 쉽게 구할 수 있는 재료로 특별한 음식을 만드는 방법을 알려 줘서 좋아요.

대화

⊕ 더 알아봐요

'지식'과 '상식'

지식: 학습을 통해 알게 된 것
상식: 많은 사람들이 일반적으로
　　　알고 있는 것

⊕ 더 알아봐요

'딱딱하다'

'딱딱하다'는 물체의 느낌이
단단할 때 사용하지만
태도·말투·표정·분위기가
엄격하거나 지루할 때에도
사용한다.

○ 긴장해서 표정이 딱딱하게
　 굳었어요.

1. 방송에 대해 대화를 나누고 있습니다. 어떤 방송인지 이야기해 보십시오.

유진: 해리야, 〈인생수업〉 이번 주 방송 정말 볼 만
　　　하지 않았어?

해리: 이번 주 거 아직 못 봤는데 재미있었어?

유진: 얼마나 재미있었다고. 이번 주 강연 주제는
　　　도시와 건축이었는데 내용이 굉장히 신선
　　　했어.

해리: 봐야겠다. 〈인생수업〉은 진짜 괜찮은 프로그램인 것 같아.
　　　매주 방송을 보면서 다양한 분야의 상식을 쌓을 수 있어서 좋아.

유진: 응. 다른 교양 프로그램처럼 분위기가 딱딱하지 않아서 더 좋고.

해리: 맞아. 어려운 내용도 쉽게 알려 줘서 지루하지가 않아.

1) 〈인생수업〉은 어떤 방송입니까?

2) 이번 주 방송은 어떤 내용이었습니까?

3) 두 사람은 이 프로그램의 좋은 점이 무엇이라고 생각합니까?

대화 속 문법

**얼마나 -는다고요/
ㄴ다고요/다고요**

어떠한 내용을 강조하여
말할 때 쓴다.

진 씨가 매운 음식을 얼마나 잘 먹는다고요.

혼자 여행을 하면 얼마나 편하다고요.

1. 다음 문장을 '얼마나 -는다고요/ ㄴ다고요/다고요'를 사용해서 표현해 보십시오.

1) 그 가방이 정말 비싸요.

　　────────────────────────────────.

2) 제가 책을 정말 자주 읽어요.

　　────────────────────────────────.

3) 사람들이 이 방송을 정말 많이 봐요.

　　────────────────────────────────.

어휘와 표현

감상과 평가

신선하다

유익하다

교훈을 주다

공감이 가다

사회를 반영하다

식상하다

자극적이다

상식을 쌓다

위로를 주다

영향력이 크다

1. 알맞은 말을 골라 문장을 완성해서 말해 보십시오.

1) 여행을 소재로 한 예능 프로그램은 다 비슷해서 ....

2) 이 드라마는 꿈을 잃어버린 이 시대의 청춘들에게 따뜻한 ....
드라마예요.

3) 방송의 소재는 새롭지 않지만 이야기를 전달하는 방식이 ....

4) 드라마에 나오는 직장 생활 이야기가 너무 현실적이라서 ....

5) 방송에 나온 물건들이 다음 날 모두 품절될 정도로 ....
프로그램이에요.

6) 이 방송은 지나치게 폭력적이고 .... 장면이 많아 시청자들에게
비난을 받고 있다.

2. 친구들에게 소개하고 싶은 방송 프로그램을 이야기해 보십시오.

> 제가 소개하고 싶은 방송은 〈미래사회〉라는
> 시사 프로그램인데, 빠르게 변하는 사회를 잘 반영한
> 프로그램이에요. 제목만 들었을 때는 좀 식상하게
> 느껴질 수도 있는데 실제로 보면 정말 유익한
> 내용이 많아요. 시간이 있을 때 한번 보세요.

읽고 쓰기

골목여행

예능 | 전체 관람가

방송 시간: 수요일 오후 9:00
소개: 평범한 사람들의 특별한 이야기를 찾아 떠나는 길거리 토크 쇼

[다시 보기]　[미리 보기]　♡ 7,890

기우　　　　　　　　　　　　　　　　　**15분 전**

다른 분들도 저처럼 이 방송 보면서 지친 마음을 위로받고 있지 않으세요?
저는 요즘 이 방송 때문에 삽니다. 이번 주도 방송 보면서 힘낼게요!!

Min　　　　　　　　　　　　　　　　　**32분 전**

방송 잘 보고 있습니다. 예능 프로그램이지만 교훈을 주는 내용이 많아서 보면서
느끼는 점이 참 많습니다. 앞으로도 계속 좋은 방송 만들어 주시기 바랍니다.

JOAh　　　　　　　　　　　　　　　　**9시간 전**

역시 국민 MC. 매주 챙겨 보는 유일한 방송!!

다솜　　　　　　　　　　　　　　　　　**1일 전**

공감 가는 이야기가 많아서 방송을 보면서 얼마나 감동했다고요.
이렇게 따뜻한 방송 만들어 주셔서 감사합니다. ☺

---

1) 이 프로그램은 어떤 방송입니까?

2) 사람들이 이 프로그램을 좋아하는 이유는 무엇입니까?

댓글을 여러분 나라의 말로 번역해 보십시오.

- 한 사람이 댓글을 하나씩 맡아 보십시오.
- 맡은 댓글을 번역해 보십시오.
- 친구들과 함께 바꿔 읽고 맞는지 확인해 보십시오.

2. 여러분이 가장 좋아하는 방송 프로그램은 무엇입니까? 그 방송에 대한 시청 소감을 댓글로 작성해 보십시오.

자기 점검

1. 방송 프로그램의 특징을 말할 수 있어요?
2. 방송 프로그램에 대한 감상을 말할 수 있어요?

10 주인공이 책상 위를 보더니 깜짝 놀라서 무엇인가를 찾기 시작하는 거야

영화나 드라마의 줄거리를 서술할 수 있다.

어휘와 표현

줄거리

문법

-더니,
-는/(으)ㄴ 것이다

❶ 다음의 영화들은 어떤 장르일까요?

❷ 한국의 영화나 드라마에는 다음과 같은 내용이 많이 나옵니다.
여러분 나라에서는 어떻습니까?

성공 신화

삼각관계

복수

시간 여행

문법

-더니

과거에 관찰한 사실과 그 뒤에
이어진 행동 또는 상황을 연결하여
말할 때 사용한다.

주인공이 합격 소식을 들은 다음에 기쁨의 눈물을 흘렸어요.

▶ 주인공이 합격 소식을 듣더니
기쁨의 눈물을 흘렸어요.

그 사람이 갑자기 나를 본 다음에 나한테 다가왔어.

▶ 그 사람이 갑자기 나를 보더니 나한테 다가왔어.

⊕ 더 알아봐요

몸동작을 나타내는 표현

 고개를 젓다

 얼굴을 찡그리다

 눈이 동그래지다

 손을/다리를 떨다

 고개를 숙이다

 고개를
갸우뚱거리다

 눈물을
글썽거리다

 어깨를 들썩이다

1. 다음과 같이 알맞은 말을 연결하고 문장을 만들어서 말해 보십시오.

그는 한참을 망설이더니 헤어지자고
말했어요.

1) 그는 한참을 망설이다 •·········• 헤어지자고 말하다
2) 그녀는 할머니를 보다 • • 다시 작동이 안 되다
3) 갑자기 컴퓨터가 꺼지다 • • 결국 옷을 사지 않다
4) 수진 씨가 가격 때문에 고민하다 • • 일어나서 자리를 양보하다
5) 민호 씨가 행사 내내 얼굴이 안 좋다 • • 행사가 끝나기도 전에 가 버리다

2. 여러분이 본 친구들의 행동을 이야기해 보십시오.

유진 씨가 아까 선생님의
설명을 듣더니 고개를 끄덕
거렸어요.

안나 씨가 쉬는 시간에
휴대폰을 보더니 눈이
동그래졌어요.

듣고
말하기

1. 다음 안나 씨와 마리 씨의 대화를 잘 듣고 질문에 답하십시오.

1) 안나 씨가 이야기하는 드라마는 어떤 내용인지 써 보십시오.

2) 들은 내용과 같으면 ○, 다르면 × 표시를 하십시오.

① 안나는 쉬는 시간에 드라마를 봤습니다. ( )

② 마리는 이 드라마를 안나 씨에게 추천했습니다. ( )

2. 여러분이 가장 재미있게 본 작품(드라마/영화/소설/만화 등)은 무엇입니까?
다음과 같이 소개해 보십시오.

저는 〈대학 보고서〉라는 웹툰을 정말 재미있게
봤어요. 대학생들의 일상을 그린 작품인데 재미와
감동을 모두 느낄 수 있는 작품이에요. 얼마 전에는
영화로도 만들어져서 큰 인기를 끌었어요.

대화

1. 영화의 줄거리에 대해 대화를 나누고 있습니다. 어떤 내용인지 이야기해 보십시오.

유진: 내가 최근에 진짜 재미있는 영화를 한 편 발견했는데, 너희 혹시 〈아무도 모르게〉라는 영화 알아?

안나: 아니. 처음 들어 봤어.

해리: 나도. 어떤 영화야?

유진: 범죄·추리 영화인데, 주인공이 아침에 일어나서 책상 위를 보더니 깜짝 놀라서 무엇인가를 막 찾기 시작하는 거야.

안나: 시작부터 흥미진진하네. 뭐가 없어졌는데?

유진: 회사의 중요한 비밀이 들어 있는 노트북이 갑자기 사라져 버렸어. 그래서 주인공은 경쟁 회사의 사장을 범인으로 의심했는데 알고 보니까 진짜 범인은 주인공의 제일 친한 친구였어.

해리: 뭐? 친한 친구가 갑자기 왜 그런 거야?

유진: 궁금하지? 나중에 한번 봐. 정말 상상도 못한 반전이 숨어 있어.

1) 영화 속 주인공에게 무슨 일이 있었습니까?

2) 영화 속 주인공은 처음에 누가 범인이라고 생각했습니까?

3) 영화 속 진짜 범인은 누구였습니까?

⊕ **더 알아봐요**

'범(犯)'의 의미

한국어의 '범(犯)'은 한자어로, '법이나 규칙을 지키지 않고 잘못을 저지르다'는 뜻을 나타내고, 다른 말의 뒤에 붙을 때는 '잘못을 저지른 사람'이라는 뜻을 나타낸다.

○ 범인, 범죄, 범행, 범법, 진범, 살인범

대화 속 문법

공원을 지나가는데 사람들이 한 곳에 모여 있는 거예요.

나를 생각해 주는 그 사람의 마음이 너무 따뜻한 거야.

-는/(으)ㄴ 것이다

앞에 나오는 내용에 대해서 주의를 끌면서 효과적으로 표현하고자 할 때 쓴다.

1. 다음 문장을 '-는/(으)ㄴ 것이다'를 사용해서 완성해 보십시오.

1) 택시비를 내려고 하는데 지갑이 _____. (없다)

2) 처음 보는 사람이 계속 저를 _____. (따라오다)

3) 시험지를 받았는데 갑자기 공부한 게 하나도 _____. (생각이 안 나다)

| **발음**
🔊 | 가: 어디 가요?
나: 네. 잠깐 나갔다 오려고요.

가: 어디 가요?
나: 도서관에 가요. | '예, 아니요'를 물을 때와 '무엇'을 물을 때 문장의 억양이 달라진다. | ▷ 다음을 읽어 볼까요?
가: 뭐가 없어졌어?
나: 응. 지갑이 없어졌어.

가: 뭐가 없어졌어?
나: 선물 받은 지갑이 없어졌어. |

어휘와 표현

줄거리

우연히 마주치다

새로운 인물이 등장하다

갈등을 겪다

행복한 결말을 맺다

사라지다

범인을 쫓다

첫눈에 반하다

오해가 생기다

재회하다

비극적으로 끝나다

도망치다

반전이 있다

---

1. 알맞은 말을 골라 문장을 완성해서 말해 보십시오.

1) 주인공은 소개팅에서 그를 보자마자 .... :

2) 직장을 잃고 힘들어하는 주인공 앞에 그를 도와줄 .... :

3) 헤어진 연인을 길에서 .... 모른 척하고 지나갔어요.

4) 두 사람은 결혼에 대한 생각이 달라 .... :

5) 오토바이를 탄 남자가 주인공의 가방을 뺏어서 .... :

6) 두 사람이 서로의 사랑을 확인하면서 .... :

---

2. 최근에 본 영화나 드라마에서 가장 인상적인 장면을 이야기해 보십시오.

> 얼마 전에 영화 〈2002〉를 봤는데 주인공이 헤어진
> 가족들과 재회하는 장면이 정말 인상적이었어요. 서로를
> 마주하더니 아무 말도 못 하고 펑펑 울기만 하는 거예요.
> 연기가 너무 실감 나서 저도 계속 울면서 봤어요.

1. 다음 만화를 읽고 무슨 내용인지 친구와 이야기해 보십시오.

2. 위에서 이야기한 내용을 바탕으로 작가가 되어 줄거리를 써 보십시오.
    그리고 이야기를 가장 재미있게 만든 친구를 뽑아 보십시오.

'윤재'는 가수의 꿈을 이루기 위해 오디션에 도전하지만 매번 결과가 좋지

않다.

친구가 쓴 글을 여러분 나라의 말로 번역해 보십시오.

• 친구가 쓴 글을 번역해 보십시오.
• 친구가 번역한 내용이 맞는지 확인해 보십시오.

자기 점검

1. 좋아하는 영화나 드라마에 대해 말할 수 있어요?
2. 영화나 드라마의 줄거리를 서술할 수 있어요?

11

저는 춘천에 대해
소개하겠습니다

지역의 특징을 설명할 수 있다.

어휘와 표현

지역의 특징

문법

(으)로서, 에 대해서

S 4A

11

❶ 여러분이 살고 있는 곳은 어떤 곳입니까?

❷ 한국의 지역에 대해 알고 있습니까?

문법

(으)로서

어떤 대상이 앞에 나오는 지위나 신분, 자격, 속성을 가지고 있음을 나타낸다.

서울은 대한민국의 수도이다.

한국을 대표하는 도시이다.

▶ 서울은 대한민국의 수도로서 한국을 대표하는 도시이다.

나는 아이들의 아버지이다. 최선을 다하려고 노력한다.

▶ 나는 아이들의 아버지로서 최선을 다하려고 노력한다.

---

1. 다음과 같이 알맞은 말을 연결하고 문장을 만들어서 말해 보십시오.

 그는 국가 대표 선수로서 올림픽에 참가했어요.

1) 그는 국가 대표 선수이다 •┄┄┄┄┄┄• 올림픽에 참가하다

2) 그는 기자이다 • • 뛰어난 외교 능력을 가지고 있다

3) 그는 외교 전문가이다 • • 환자를 살리기 위해 최선을 다하다

4) 그는 의사이다 • • 유명한 긴축가가 설계한 것이다

5) 이것은 우리 도시를 대표하는 • • 사람들에게 진실을 알리기 위해
   건축물이다   노력하다

2. 다음 사람들은 자신의 책임과 역할에 대해 어떻게 말할 것 같습니까?
다음과 같이 이야기해 보십시오.

대통령으로서 나라와 국민을 위해 열심히 일하겠습니다.

1)

대통령

2)

학생

3)

교사

4)

군인

5)

반장

6)

회사 대표

듣고
말하기

1. 다음 방송을 잘 듣고 질문에 답하십시오. 🔊

1) 어떤 곳을 소개하고 있습니까?

①  ②  ③

2) 들은 내용과 같으면 ○, 다르면 × 표시를 하십시오.

① 한옥마을을 다 돌아보려면 하루 정도가 걸린다. (   )

② 한옥마을에서는 다양한 전통문화를 체험할 수 있습니다. (   )

---

2. 방송 진행자가 되어 여러분의 고향에서 유명한 것에 대해 소개해 보십시오.

> 제 고향은 전라남도 여수입니다. 남해 바다와 섬들을 볼 수 있는 관광지로서 유명한 곳이지요. 한 가수가 부른 〈여수 밤바다〉라는 노래 때문에 밤바다를 보러 오는 사람들이 더 많아졌습니다.
> 바다 주변에 화려한 조명이 많아서 아름답고 낭만적인 밤바다를 즐길 수 있습니다.

⊗ **이렇게 해 봐요**

고향에서 유명한 것을 말하기 전에 다음과 같은 내용을 생각해 보자.

○ 특별한 장소
○ 자연물
○ 문화 유적
○ 특산물
○ 음식

1) 여러분 고향은 어떤 도시입니까?

2) 고향에서 유명한 것은 무엇입니까?

02

대화

1.

도시를 소개하는 발표를 하고 있습니다. 안나가 소개한 도시에 대해 이야기해 보십시오.

선생님: 오늘은 각자 한국에 있는 도시를 하나씩 소개하기로 했지요? 안나 씨부터 발표해 볼까요?

안나: 네. 저는 춘천에 대해 소개하겠습니다. 춘천은 서울에서 기차로 1시간 정도면 갈 수 있는 도시입니다. 호수와 산으로 둘러싸인 아름다운 자연을 자랑하는 곳이죠. 춘천은 관광 도시로서 풍부한 관광 자원을 가지고 있습니다. 강과 호수에서는 1년 내내 다양한 수상 스포츠를 즐길 수 있습니다. 또 드라마 촬영지로 유명한 춘천의 명동과 남이섬을 보기 위해 많은 관광객들이 춘천을 찾습니다. 춘천의 대표적인 음식인 닭갈비는 싸고 맛있어서 사람들에게 인기가 많습니다. 여러분, 한국에 간다면 춘천에 한번 방문해 보세요.

1) 춘천은 서울에서 얼마나 걸립니까?

2) 춘천의 특징은 무엇이 있습니까?

3) 춘천의 대표적인 음식이 무엇입니까?

⊕ 더 알아봐요

닭갈비

닭고기를 양배추, 당근 등의 여러 채소와 함께 양념하여 익혀 먹는 음식이다.

대화 속 문법

저는 인천에 대해서 소개하는 글을 쓰려고 해요.
유진 씨는 자기가 살고 있는 도시에 대해 잘 알아요?

에 대해서

앞에 나오는 것이 말이나 생각의 대상임을 나타낸다. '에 대해'라고도 할 수 있다.

⊕ 더 알아봐요

'에 대한 + 명사'

뒤에 명사가 올 때는 '에 대한 + 명사'의 형태로 사용한다.

○ 인문학은 인간에 대한 문제를 연구하는 학문이다.
○ 요즘 학생들은 역사에 대한 관심이 부족하다.

1.

다음 문장을 '에 대해서'를 이용해서 표현해 보십시오.

1) 오늘 학교에서 국어의 역사를 공부했다.

　　　　　　　　　　　　　　　　　　　　.

2) 선생님께서 그의 연주를 칭찬했다.

　　　　　　　　　　　　　　　　　　　　.

3) 친구에게 문제 푸는 방법을 물었다.

　　　　　　　　　　　　　　　　　　　　.

어휘와 표현

지역의 특징

⊕ 더 알아봐요

지역 특산물

울릉도
독도
영덕
이천
금산
나주
완도
제주도

이천 울릉도

독도 영덕

금산 나주

완도 제주도

| 정치/경제/사회/문화의 중심지 역할을 하다 | 교통의 요충지이다 |

| 공장이 모여 있다 | 자원이 풍부하다 | 일자리가 부족하다/풍부하다 |

| 인구가 집중되어 있다 | 환경이 쾌적하다 |

| 사람들이 주로 농사를 짓다 | 아름다운 자연을 자랑하다 |

1. 알맞은 말을 골라 문장을 완성해서 말해 보십시오.

1) 대전은 여러 지역을 연결하는 .... :

2) 이 지역에는 땅에 묻혀 있는 지하 .... :

3) 도시 한쪽에 자동차 .... :

4) 공업화, 도시화로 인해 대도시에 .... :

5) 이 지역은 큰 공원이 있어서 .... :

6) 이 도시에는 회사들이 많이 모여 있어서 .... :

2. 여러분은 어떤 지역에서 살고 싶습니까? 다음과 같이 이야기해 보십시오.

> 저는 환경에 대해 관심이 많습니다.
> 그래서 환경이 쾌적하고 탄소 배출이
> 적은 친환경 도시에 살아 보고 싶습니다.

읽고 쓰기

다음 글을 읽고 질문에 답하십시오.

◆ 인구가 집중되어 있는 도시

상하이, 도쿄, 카라치 등은 세계에서 인구가 아주 많은 도시들이다. 상하이는 중국 동부에 있는 도시로서 중국의 경제 중심지 역할을 하는 곳이다. 도쿄는 일본의 수도로서 일본의 정치, 경제, 문화의 중심지이다. 파키스탄 남부에 위치한 카라치는 파키스탄 최대의 도시이다. 세 도시 모두 대도시로서 많은 인구가 집중되어 있다.

◆ 쾌적한 주거 환경으로 ㉠손꼽히는 도시

영국의 한 잡지에서 '살기 좋은 도시'에 대해 조사하였다. 그리고 안전성, 의료, 문화, 환경, 교육, 편의 시설 등을 기준으로 세계에서 가장 살기 좋은 도시를 선정하였다. 그 결과 빈과 멜버른이 1, 2위를 차지하였다. 빈은 오스트리아의 수도로서 중부 유럽의 경제, 문화, 교통의 중심지 역할을 하는 곳이다. 멜버른은 호주의 남동부에 위치한 호주 제2의 도시이다. 두 곳 모두 쾌적한 주거 환경으로 손꼽히는 도시들이다.

◆ 아름다운 자연을 자랑하는 도시

자연이 아름다운 도시에는 어떤 곳들이 있을까? 스위스의 로잔과 캐나다의 밴쿠버는 자연환경이 아름다운 도시로 알려져 있다. 로잔은 국제적인 관광 도시로서 레만호수와 드넓게 펼쳐진 포도밭으로 유명한 곳이다. 밴쿠버는 캐나다 서부의 최대 도시로서 높은 산과 깊은 바다가 만들어 내는 조화가 매력적인 곳이다.

1) 빈과 멜버른은 어떤 도시입니까?

2) 로잔과 밴쿠버는 왜 아름다운 자연을 자랑하는 도시로 손꼽힐까요?

3) ㉠ '손꼽히는'의 의미는 무엇입니까?

윗글을 여러분 나라 말로 번역해 보십시오.　　　　· 글의 내용을 친구와 함께 한 문장씩 번갈아 가면서 번역해 보십시오.

2. 여러분의 나라에 있는 도시나 지역에 대해 소개하는 글을 써 보십시오.

⊗ 이렇게 해 봐요

지역에 대해 소개하는 글을 쓰기
전에 다음과 같은 내용을 생각해
보자.

o 위치
o 인구
o 도시의 특징
o 자연환경
o 유명한 것
o 기타

자기 점검

1. 지금 살고 있는 지역을 소개할 수 있어요?
2. 지역의 특징을 설명할 수 있어요?

12

한국에 대해
발표하고자
합니다

국가에 대해
설명할 수 있다.

어휘와 표현

국가 소개

문법

-(으)며, -고자 하다

S | 4A
◁)) | 12

❶ 여러분은 어느 나라에 가고 싶습니까? 왜 그 나라에 가고 싶습니까?

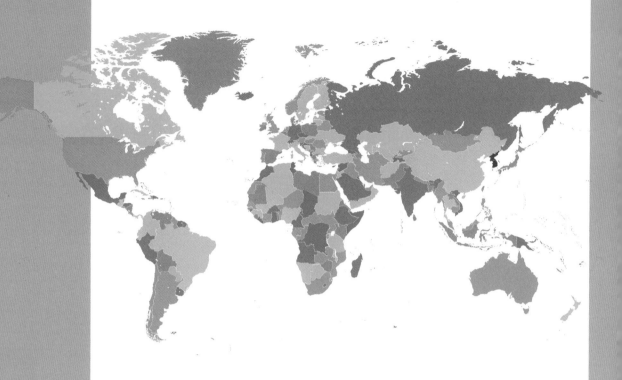

❷ 다음은 한국을 소개하는 글입니다. 여러분의 나라를 소개할 때 무엇을 이야기합니까?

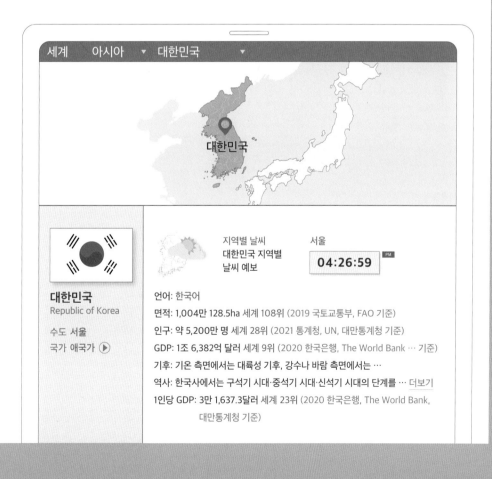

세계　아시아 ▼　대한민국 ▼

대한민국

지역별 날씨
대한민국 지역별 날씨 예보

서울
04:26:59 PM

대한민국
Republic of Korea

수도 서울
국가 애국가 ▶

언어: 한국어
면적: 1,004만 128.5ha 세계 108위 (2019 국토교통부, FAO 기준)
인구: 약 5,200만 명 세계 28위 (2021 통계청, UN, 대만통계청 기준)
GDP: 1조 6,382억 달러 세계 9위 (2020 한국은행, The World Bank … 기준)
기후: 기온 측면에서는 대륙성 기후, 강수나 바람 측면에서는 …
역사: 한국사에서는 구석기 시대·중석기 시대·신석기 시대의 단계를 … 더보기
1인당 GDP: 3만 1,637.3달러 세계 23위 (2020 한국은행, The World Bank, 대만통계청 기준)

문법

-(으)며

두 가지 이상의 동작이나 상태, 사실을 나열할 때 사용한다.

한국의 인구는 약 5,200만 명이고 한국의 수도는 서울입니다.

▶ 한국의 인구는 약 5,200만 명이며 수도는 서울입니다.

한국은 여름에 비가 많이 오고 무척 덥습니다.

▶ 한국은 여름에 비가 많이 오며 무척 덥습니다.

---

1. 다음과 같이 알맞은 말을 연결하고 문장을 만들어서 말해 보십시오.

그는 인사성이 바르며 사람들에게 친절하다.

1) 그는 인사성이 바르다 •·················• 사람들에게 친절하다
2) 삼계탕은 맛이 좋다 • • 아름다워서 여행지로 유명하나
3) 한국의 전통술은 막걸리이다 • • 겨울에는 따뜻하다
4) 지리산 계곡은 물이 맑다 • • 전통 의상은 한복이다
5) 한옥은 여름에 시원하다 • • 건강에도 좋아서 외국인들에게 인기가 많다

⊕ 더 알아봐요

'-고'와 '-(으)며'

일반적으로 '-(으)며'는 말하기나 일상적인 상황에서보다는 쓰기나 격식적인 상황에서 더 많이 사용된다.
세 가지 이상을 나열할 때는 '-고'와 '-(으)며'를 번갈아서 사용하는 것이 좋다.

○ 이 가방은 디자인이 좋고 색깔이 예쁘고 가격도 쌉니다. (✕)
○ 이 가방은 디자인이 좋고 색깔이 예쁘며 가격도 쌉니다. (○)

2. 다음과 같이 '-(으)며'를 사용해서 한국에 대해 이야기해 보십시오.

| 한국의 수도는 서울이다. |

| 한국의 공식 언어는 한국어이다. |

| 한국은 삼면이 바다로 둘러싸여 있다. |

| 한국의 서쪽에는 작은 섬이 많다. |

| 한국의 동쪽에는 높은 산맥이 있다. |

| 한국은 봄, 여름, 가을, 겨울의 사계절이 있다. |

한국의 수도는 서울이며 공식 언어는 한국어이다.

듣고
말하기

1. 다음 대화를 잘 듣고 질문에 답하십시오.

1) 이 대화의 상황을 잘 보여 주는 것을 고르십시오.

① 　② 　③

2) 들은 내용과 같으면 ○, 다르면 × 표시를 하십시오.

① 민수는 퀴즈를 풀어서 상품을 타게 되었다. (　　)
② 일본에서 유명한 음식은 우동이다. 　　　　(　　)

2. 국가를 소개하는 게임입니다. 친구들과 함께 게임을 해 보십시오.

| 게임 방법 |

주사위를 던져서 나온 국가의 위치와 수도를 말해야 한다. 제대로 말하면 통과, 말을 하지 못하면 처음으로 돌아가 다시 주사위를 던져야 한다. 한 바퀴를 돌아서 처음으로 먼저 돌아오는 팀이 이기는 게임이다.

중국은 아시아에 있으며 수도는 베이징이에요.

대화

1.

한국에 대해 이야기하고 있습니다. 한국은 어떤 곳인지 이야기해 보십시오.

유진: 안녕하십니까? 저는 한국에 대해 발표하고자 합니다. 한국은 동아시아 한반도의 남쪽에 있는 나라로서 중국과 일본 사이에 위치하고 있습니다. 삼면이 바다로 둘러싸여 있으며 봄, 여름, 가을, 겨울의 사계절이 뚜렷한 나라입니다. 5천 년이 넘는 역사를 가지고 있어서 많은 유적지와 문화유산이 있습니다. 인구는 약 5천만 명이고, 사용하는 언어는 한국어입니다. 면적이 좁아서 자원이 풍부하지 않지만 첨단 전자 제품과 자동차, 조선 등의 산업이 발달하여 수출을 활발하게 하고 있습니다. 최근에는 영화, 드라마, 음악, 음식 등이 한류 열풍을 일으키면서 세계인의 주목을 받는 문화 강국이 되었습니다. 이상으로 발표를 마치겠습니다. 감사합니다.

1) 한국은 어디에 있습니까?

2) 한국은 어떤 산업이 발달했습니까?

더 알아봐요

발표를 시작하는 표현

○ 지금부터 발표를 시작하겠습니다.
○ 발표 제목은 ~입니다.
○ 저는 오늘 ~에 대해 말씀드리려고 합니다.
○ 오늘은 ~에 대해 발표하고자 합니다.
○ 이번 발표에서 살펴볼 내용은 ~에 대한 것입니다.

대화 속 문법

행복하고자 한다면 생각을 먼저 바꿔야 한다.
지금부터 행사를 시작하고자 합니다.

1.

다음 문장을 '-고자 하다'를 사용해서 표현해 보십시오.

1) 내가 말하려고 하는 것이 바로 그것입니다.

   ....:

2) 저는 오늘 한국의 유명한 음식을 소개하려고 합니다.

   ....:

3) 좋은 작가가 되고 싶다면 좋은 글을 많이 읽어야 한다.

   ....:

-고자 하다

말하는 사람이 어떤 행동을 하려는 의도나 희망을 가지고 있음을 나타낸다.

더 알아봐요

'-고자 하다'의 사용

연설이나 보고 같은 공식적인 말이나 글에서 주로 사용한다.

○ 지금부터 회의 진행에 필요한 내용을 말씀드리고자 합니다.
○ 저는 한국 만화에 대해 발표하고자 합니다.

| 발음 🔊 | 한류 → [할류] | 'ㄴ'은 'ㄹ' 앞이나 뒤에서 [ㄹ]로 발음 한다. | ▷ 다음을 읽어 볼까요?
• 한국에 가기 전에 **연락했다**.
• 이 앱은 사용이 **편리하다**. |

어휘와 표현

국가 소개

민족	상징	종교
기후	주요 산업	화폐
면적	언어	정치 제도

---

1. 알맞은 말을 골라 문장을 완성해서 말해 보십시오.

1) 태국의 .... 은/는 관광업이에요.

2) 바닷가 지역은 .... 변화가 심해요.

3) 무궁화는 한국을 .... 하는 꽃이에요.

4) 러시아는 전 세계에서 가장 국토 .... 이 넓은 나라예요.

5) 각 나라의 .... 속 인물은 주로 그 나라에서 존경 받는
   사람들이에요.

---

2. 여러분 나라의 이웃 나라에 대해 이야기해 보십시오.

1) 언어   2) 화폐
3) 민족   4) 상징
5) 기후   6) 정치 제도
7) 종교   8) 주요 산업
9) 면적

> 일본의 언어는
> 뭐예요?

> 일본의 언어는
> 일본어예요.

읽고 쓰기

1. 다음 글을 읽고 질문에 답하십시오.

세계의 나라 소개 >

독일 소개

안녕하세요? 제가 다음 주 독일 여행을 간다고 말씀드렸죠? 그래서 오늘은 독일을 소개하는 글을 써 보고자 해요.

먼저 독일이 유럽의 가운데에 위치하고 있는 거 아시죠? 독일은 아홉 개 국가와 국경을 마주하고 있기 때문에 유럽에서 이웃 국가가 가장 많은 나라입니다. 면적은 여섯 번째로 넓은 나라고요. 면적의 1/3이 숲으로 이루어져 있어요. 독일의 수도는 베를린인데 파리, 런던에 이어 유럽에서 세 번째로 많은 관광객들이 찾는 인기 도시예요.

독일에서 가장 유명한 축제는 뮌헨에서 열리는 맥주 축제인 '옥토버페스트'입니다. 매년 620만 명이 찾는 세계 최대 규모의 맥주 축제랍니다. 축구 경기 역시 독일의 자랑이라서 많은 축구 팬들이 축구 경기를 보기 위해 독일을 찾습니다. 오늘은 여기까지 독일 소개를 하고요, 다음 편에서는 독일의 환경, 교육, 정치와 경제에 대해서 소개해 드릴게요.

※ 이 글은 독일 대사관 홈페이지에서 가져온 자료를 정리해서 썼어요.

1) 이 글의 내용과 같은 것은 무엇입니까?

① 독일은 유럽에서 가장 넓은 면적을 가진 나라이다.

② 독일은 유럽에서 가장 많은 이웃 국가를 가지고 있다.

③ 독일은 전체 면적의 대부분이 강과 바다로 이루어져 있다.

④ 독일 뮌헨에서 열리는 축구 축제는 세계 최대 규모이다.

2) 이 글의 다음 편에 이어질 내용은 무엇일까요?

윗글을 여러분 나라의 말로 번역해 보십시오.

- 친구와 한 문단씩 번역해 보십시오.
- 친구가 번역한 내용을 확인해 보십시오.

2. 여러분이 관심 있는 나라를 소개하는 글을 써 보십시오.

세계의 나라 소개 >

부록

/ 듣기 지문   / 모범 답안   / 어휘와 표현 색인   / 자료 출처

01 🔊 여건이 된다면 외국에서 1년쯤 살아 봤으면 해요

듣고 말하기 | 1번 | 15쪽

다음 대화를 잘 듣고 질문에 답하십시오.

마리: 재민 씨는 한 달 정도 자유 시간이 생긴다면 뭘 하고 싶어요?

재민: 음. 저는 부모님하고 같이 여행을 가고 싶어요. 고등학교 때 이후로 가족 여행을 가 본 적이 없더라고요. 마리 씨는요?

마리: 저는 혼자만의 시간을 갖고 싶어요. 혼자서 영화도 보고, 책도 읽고, 산책도 하고….

재민: 그것도 좋겠네요. 조용히 쉴 수도 있고.

대화 | 1번 | 16쪽

희망 사항에 대해 안나 씨와 유진 씨가 대화를 나누고 있습니다. 두 사람이 해 보고 싶어 하는 일은 무엇인지 이야기해 보십시오.

유진: 안나, 아까부터 뭘 그렇게 열심히 쓰고 있어?

안나: 아, 이번 여름에 자전거로 전국을 일주하려고 계획을 세우고 있어. 졸업하기 전에 꼭 해 보고 싶은 일 중의 하나거든.

유진: 자전거 여행? 대단하다. 나도 하고 싶은 건 많은데 계획하고 실천하는 게 쉽지 않은 것 같아.

안나: 나도 생각만 하고 있었는데 친구가 같이 가자고 해서 용기를 냈어. 너도 꼭 해 보고 싶은 일이 있어?

유진: 시간과 돈 같은 여건이 된다면 외국에서 1년쯤 살아 봤으면 해.

안나: 멋진 꿈이네. 지금부터 잘 준비해서 나중에 꼭 도전해 봐.

02 🔊 한 번쯤 가 볼 만한 곳이야

듣고 말하기 | 1번 | 23쪽

다음 주노 씨와 진 씨의 대화를 잘 듣고 질문에 답하십시오.

진: 주노, 지난 휴가 때 속초에 다녀왔다고 했지? 어땠어?

주노: 정말 좋았어. 산도 있고 바다도 있어서 갈 만한 곳도 많고 음식도 다 맛있었어.

진: 그래? 가족하고 휴가 가려고 계획 중인데 속초로 알아봐야겠다. 너는 속초에서 어디가 제일 좋았어?

주노: 나는 설악산에서 케이블카를 탄 게 제일 기억에 남아. 그때 설악산에 단풍이 예쁘게 들어서 경치가 정말 아름다웠어.

대화 | 1번 | 24쪽

가 볼 만한 곳에 대해 대화를 나누고 있습니다. 어떤 곳인지 이야기해 보십시오.

유진: 마리, 에스엔에스(SNS) 프로필 사진 멋지던데 어디에서 찍은 거야?

마리: 아, 그 사진? 지난번에 한국에 갔을 때 낙산공원에서 찍은 거야. 잘 나왔지?

유진: 응. 낙산공원은 처음 들어 보는 곳인데 어디에 있는 거야?

마리: 서울 시내에 있어. 유진, 너도 한국에 가게 되면 한번 가 봐. 전망이 좋아서 아름다운 서울의 야경을 한눈에 볼 수 있는 곳이야. 한 번쯤 가 볼 만해.

유진: 그래? 다음에 서울에 가면 꼭 가 봐야겠다.

마리: 갈 때 이야기해. 가 볼 만한 곳을 더 알려 줄게. 근처에 좋은 카페도 많은데 내가 간 곳이 분위기가 정말 색다르더라고.

03 🔊 드디어 새 앨범이 나온대

듣고 말하기 | 1번 | 31쪽

다음 대화를 잘 듣고 질문에 답하십시오.

해리: 안나 씨, 이야기 들었어요? 유진 씨가 주말에 다리를 다쳐서 병원에 입원했대요.

안나: 해리 씨, 정말요? 어쩌다가 그랬대요?

해리: 농구를 하다가 넘어졌대요.

안나: 입원할 정도면 많이 다쳤나 보네요. 언제까지 병원에 있어야 한대요?

해리: 3일 정도 입원해야 된대요. 그리고 깁스를 몇 달 해야 하나 봐요.

대화 | 1번 | 32쪽

두 사람은 새로운 소식에 대해 대화를 나누고 있습니다. 어떤 소식인지 이야기해 보십시오.

안나: 수지야, 그 소식 들었어? 다음 달에 시온의 새 앨범이 나온대.

수지: 정말? 신곡 소식만 계속 기다리고 있었는데 드디어 나오는구나.

안나: 응. 그리고 이번 앨범은 정말 특별한 게, 시온이 작사·작곡에 모두 참여했대.

수지: 와! 너무 기대된다. 빨리 들어 보고 싶어. 콘서트도 꼭 하면 좋겠다, 그렇지?

안나: 응. 우리 콘서트 하면 보러 가자. 마리도 콘서트가 열리면 다 같이 보러 가자.

수지: 그래. 꼭 콘서트 소식이 들렸으면 좋겠다.

---

04 🔊 폭설로 인해서 많은 피해가 발생하고 있습니다

듣고 말하기 │ 1번 │ 39쪽

다음 대화를 잘 듣고 질문에 답하십시오.

안내 방송: 안내 말씀드립니다. 19시 30분 제주공항을 출발하여 부산으로 가는 한국항공은 태풍으로 인해서 출발이 늦어지게 되었습니다. 강한 바람과 비가 계속되고 있으니 승객 여러분께서는 공항을 벗어나지 마시고 대기실에서 다음 안내 방송을 기다려 주시기 바랍니다. 날씨 상황을 확인한 후에 다시 안내해 드리겠습니다. 감사합니다.

대화 │ 1번 │ 40쪽

폭설에 대한 뉴스입니다. 어떤 피해가 났는지 이야기해 보십시오.

아나운서: 어제저녁부터 강원 지역에 많은 눈이 내리고 있습니다. 현장에 나가 있는 이재욱 기자 연결하겠습니다.

기자: 네. 저는 지금 강원도 속초 시청 앞에 나와 있습니다. 어제부터 30cm가 넘는 눈이 쌓이면서 많은 피해가 발생하고 있습니다. 폭설로 인해 강원 지역을 오가는 모든 항공기 운항이 취소되었고, 교통사고가 이어지면서 부상자가 발생하고 있습니다.

아나운서: 그렇군요. 많은 피해가 있지만, 다행히 사망 사고는 없다고요?

기자: 네. 아직까지 사망자는 발생하지 않았습니다. 하지만 계속해서 눈이 내리고 있어서 주의가 필요합니다.

아나운서: 이재욱 기자 감사합니다.

---

05 🔊 어떤 앱을 주로 사용하냐면요

듣고 읽기 │ 1번 │ 47쪽

다음 대화를 잘 듣고 질문에 답하십시오.

유진: 한국에 여행을 가고 싶은데, 어디에 가면 좋을까요?

민호: 한국관광공사 홈페이지에 들어가 보세요. 한국의 다양한 여행지와 축제 정보가 자세하게 나와 있어요.

유진: 그래요? 한번 들어가 볼게요. 그 사이트에서 맛집도 소개해 줘요?

민호: 아니요. 맛집은 안 나와 있어요. 맛집 검색은 에스엔에스(SNS)에서 '현지인 맛집'이라고 검색을 해 보세요. 그러면 맛집을 찾기 쉬울 거예요.

유진: 고마워요. 민호 씨 말을 들으니까 빨리 한국에 가고 싶어요.

대화 │ 1번 │ 48쪽

한국의 택시 앱에 대한 대화를 나누고 있습니다. 택시 앱의 특징을 이야기해 보십시오.

마리: 재민 씨, 저 다음 주에 한국으로 출장을 가는데 궁금한 게 있어요. 한국에서도 택시를 휴대폰 전화 앱으로 부를 수 있다고 들었는데 그 앱이 뭐예요?

재민: 그 앱이 뭐냐면요. 바로 이거예요.

마리: 아, '빠른택시' 앱. 고마워요. 지금 바로 다운 받아 놓아야겠어요.

재민: 네. 이 앱은 여기에 도착지를 입력하면 택시 도착 시간과 요금을 모두 알 수 있어서 사용하기 편해요. 이 '부르기' 버튼을 누르면 택시를 부를 수 있어요.

마리: 우리 나라 앱이랑 비슷하네요. 그런데 택시를 부르면 빨리 와요?

재민: 그럼요. 그리고 한국에는 길에 택시가 많이 있으니까 그냥 택시를 잡아서 탈 수도 있어요.

---

06 🔊 마늘은 면역력을 높여 줄 뿐만 아니라 암 예방에도 좋습니다

듣고 말하기 │ 1번 │ 55쪽

다음 대화를 잘 듣고 질문에 답하십시오.

안나: 수지야, 우리 잠깐 편의점에 들러도 될까? 이따 먹을 아몬드 좀 사려고.

수지: 그래. 근데 안나 너는 아몬드를 정말 자주 먹더라.

안나: 응. 맛도 좋고 건강에도 좋잖아. 아몬드는 비타민하고 칼륨이 풍부해서 몸에 좋을 뿐만 아니라, 엔도르핀을 만드는 효과가 있어서 정신 건강에도 좋대.

수지: 그래? 아몬드가 정신 건강에도 도움이 되는 줄은 몰랐네. 생각보다 더 좋은 점이 많구나.

대화 │ 1번 │ 56쪽

건강에 좋은 식품을 소개하고 있습니다. 식품의 효과를 알아보십시오.

진행자: 오늘 여러분에게 소개해 드릴 건강식품은 독특한 향으로 유명한 '마늘'입니다. 세계 10대 건강식품으로 선정된 마늘은 강한 향 때문에 사람들에게 외면을 받기도 합니다. 마늘의 독특한 향은 '알리신'이라는 성분 때문에 만들어지는데요. 이 알리신은 우리 몸의 면역력을 높여 줄 뿐만 아니라 암 예방에도 큰 효과가 있습니다. 또한 마늘에는 비타민 B1도 풍부하게 포함되어 있는데요. 비타민 B1은 현대인에게 반드시 필요한 비타민으로 피로를 회복하고 체력을 보충하게 해 줍니다. 강한 향만큼 건강에 좋은 마늘, 오늘부터 꾸준히 드셔 보시는 거 어떠세요?

07 🔊 버스가 흔들려서 넘어질 뻔했어요

듣고 말하기 | 1번 | 63쪽

다음 대화를 잘 듣고 질문에 답하십시오.

마리: 안나, 왜 이렇게 늦었어? 무슨 일 있었어?

안나: 지갑 찾아서 오느라고 늦었어. 오다가 지갑을 잃어버릴 뻔했거든.

마리: 그래? 어디서?

안나: 집 앞 편의점에서 음료수를 샀는데 거기 계산대 위에 지갑을 두고 왔나 봐. 지하철역에 도착해서 지하철을 타려고 하는데 지갑이 없더라고. 깜짝 놀라서 편의점으로 뛰어갔더니 주인이 보관하고 있었어.

마리: 정말 다행이다. 나도 예전에 지갑을 잃어버린 적이 있는데 진짜 당황스럽더라. 나는 결국 못 찾아서 신분증이랑 카드를 다 다시 만들었어.

대화 | 1번 | 64쪽

당황스러웠던 경험에 대해 대화를 나누고 있습니다. 마리가 무슨 실수를 했는지 이야기해 보십시오.

마리: 지난번에 한국 여행 가서 버스를 탔을 때 좀 당황스러운 일이 있었어요.

주노: 무슨 일이었는데요?

마리: 버스를 탔는데 앞쪽에 빈자리가 있어서 아무 데나 앉았거든요. 근데 다른 사람들은 그냥 서 있는 거예요. 그래서 자세히 살펴보니까 제가 앉은 자리에 교통약자석 표시가 있더라고요.

주노: 맞아요. 버스 앞쪽은 거의 교통약자석이에요.

마리: 저는 그걸 몰랐어요. 그래서 그 표시를 보고 얼른 일어났죠. 근데 그때 버스가 흔들려서 넘어질 뻔했어요. 사람들이 다 쳐다봐서 너무 창피했어요.

주노: 몰랐으니까 그럴 수 있죠. 그런데 보통 교통약자석은 어르신이나 몸이 불편한 사람이 타면 앉을 수 있게 비워 둬요.

08 🔊 가을이 되면 잘 익은 감이 주렁주렁 달렸다

읽고 듣기 | 2번 | 71쪽

다음 수지 씨와 주노 씨의 대화를 잘 듣고 질문에 답하십시오.

수지: 오랜만에 바닷가를 걸으니까 너무 좋네요. 주노 씨는 이 도시에서 대학교를 다녔지요?

주노: 네. 근데 저도 졸업한 다음에는 바빠서 한 번도 못 왔어요. 그래도 회사에서 일 때문에 스트레스를 받으면 항상 여기가 생각나더라고요. 대학생 때 여기 와서 수상 스키 정말 자주 탔었는데.

수지: 수상 스키요? 와, 이런 곳에서 수상 스키를 타면 기분이 어때요? 바다 위를 나는 듯한 기분이 들 것 같아요.

주노: 맞아요. 빠른 속도 때문에 그렇게 느껴지기도 했어요. 바다 위

에서 한참 달리다 보면 속이 뻥 뚫린 듯이 시원해지는 것 같았죠. 그래서 대학생 때 시험 때문에 스트레스 받으면 친구들하고 많이 타러 왔었어요.

대화 | 1번 | 72쪽

김 선생님의 고향을 묘사한 글입니다. 동네가 어떤 모습이었는지 이야기해 보십시오.

나의 고향은 부산의 작은 동네이다. 우리 집은 초등학교 담장 옆으로 나 있는 골목 끝에 있었다. 동네 사람들이 우리 집을 '파란 대문 집'이라고 불렀다. 집 마당에는 감나무가 있었는데 가을이 되면 잘 익은 감이 주렁주렁 달렸다. 대문 밖에는 좁은 골목이 이어져 있었다. 골목 양쪽으로 늘어선 주택들 사이에 가끔 이가 빠진 듯이 비어 있는 공터가 있었다. 학교가 끝나면 공터에 모여서 친구들과 공놀이도 하고 술래잡기도 하면서 놀았다.

놀다 보면 어느새 골목은 자전거를 타고 퇴근하는 사람들로 붐볐다. 동네 사람들은 대부분 마을 근처에 있는 공장에서 일했다. 공장 굴뚝은 하늘을 찌를 듯이 높이 솟아 있어서 마을 어디에서나 잘 보였다. 20년도 더 지났지만 지금도 그 모습들이 눈에 선하다.

09 🔊 이번 주 방송 정말 볼 만하지 않았어?

듣고 말하기 | 1번 | 79쪽

다음 대화를 잘 듣고 질문에 답하십시오.

안나: 요즘 재미있는 음악 방송이 참 많은 것 같아.

유진: 맞아. 가수가 되고 싶어 하는 사람들을 위한 프로그램도 있고, 이미 유명한 가수들이 서로 경쟁하는 프로그램도 있고.

안나: 응. 그리고 방송에 출연하는 사람들 실력도 다 너무 뛰어나지 않아?

유진: 맞아. 〈진짜가수〉 방송 봤어? 김아원하고 신재하 정말 잘하더라. 끝까지 올라가서 꼭 꿈을 이뤘으면 좋겠어.

대화 | 1번 | 80쪽

방송에 대해 대화를 나누고 있습니다. 어떤 방송인지 이야기해 보십시오.

유진: 해리야, 〈인생수업〉 이번 주 방송 정말 볼 만하지 않았어?

해리: 이번 주 거 아직 못 봤는데 재미있었어?

유진: 얼마나 재미있었다고. 이번 주 강연 주제는 도시와 건축이었는데 내용이 굉장히 신선했어.

해리: 봐야겠다. 〈인생수업〉은 진짜 괜찮은 프로그램인 것 같아. 매주 방송을 보면서 다양한 분야의 상식을 쌓을 수 있어서 좋아.

유진: 응. 다른 교양 프로그램처럼 분위기가 딱딱하지 않아서 더 좋고.

해리: 맞아. 어려운 내용도 쉽게 알려 줘서 지루하지가 않아.

10 🔊 주인공이 책상 위를 보더니 깜짝 놀라서 무엇인가를 찾기 시작하는 거야

듣고 말하기 | 1번 | 87쪽

다음 안나 씨와 마리 씨의 대화를 잘 듣고 질문에 답하십시오.

마리: 안나, 어제도 쉬는 시간에 그 드라마만 보더니 오늘도 계속 그 것만 보는 거야?

안나: 응. 너무 재미있어서 멈출 수가 없어. 너도 한 번 보면 다음 내 용이 궁금해서 잠을 못 잘걸.

마리: 그 정도야?

안나: 응. 어느 날 갑자기 주인공에게 미래를 볼 수 있는 특별한 능력 이 생겨. 어떤 사람을 보면 그 사람에게 일어날 일이 머릿속에 떠오르는 거야. 그래서 그 능력을 이용해서 사람들을 도와주 게 되는 이야기인데, 내용이 정말 신선하고 재미있어.

대화 | 1번 | 88쪽

영화의 줄거리에 대해 대화를 나누고 있습니다. 어떤 내용인지 이야 기해 보십시오.

유진: 내가 최근에 진짜 재미있는 영화를 한 편 발견했는데, 너희 혹 시 〈아무도 모르게〉라는 영화 알아?

안나: 아니. 처음 들어 봤어.

해리: 나도. 어떤 영화야?

유진: 범죄·추리 영화인데, 주인공이 아침에 일어나서 책상 위를 보 더니 깜짝 놀라서 무엇인가를 막 찾기 시작하는 거야.

안나: 시작부터 흥미진진하네. 뭐가 없어졌는데?

유진: 회사의 중요한 비밀이 들어 있는 노트북이 갑자기 사라져 버 렸어. 그래서 주인공은 경쟁 회사의 사장을 범인으로 의심했 는데 알고 보니까 진짜 범인은 주인공의 제일 친한 친구였어.

해리: 뭐? 친한 친구가 갑자기 왜 그런 거야?

유진: 궁금하지? 나중에 한번 봐. 정말 상상도 못한 반전이 숨어 있어.

11 🔊 저는 춘천에 대해 소개하겠습니다

듣고 말하기 | 1번 | 95쪽

다음 방송을 잘 듣고 질문에 답하십시오.

리포터: 오늘은 비빔밥으로 유명한 전주에 왔는데요. 전주는 전라북 도의 도청 소재지로서 전라북도에서 규모가 가장 큰 도시입 니다. 그뿐만 아니라 역사와 문화가 살아 숨 쉬는 도시이기도 하죠. 이곳에 오면 꼭 들러야 하는 곳, 바로 전주 한옥마을인 데요. 제 옆으로 보이는 곳이 한옥마을 입구입니다. 이곳에는 700여 채의 전통 한옥이 있습니다. 느린 걸음으로 한 시간 정 도면 마을을 충분히 돌아볼 수 있는데요. 곳곳에서 전통문화 를 체험할 수 있는 기회도 놓치면 안 되겠죠? 한복 체험도 하 고, 판소리 공연도 보고, 전통 결혼식도 볼 수 있습니다. 또 오 목대라는 언덕에 올라서 내려다보면 한옥마을의 전경을 한눈

에 볼 수 있습니다. 이번 주말에는 전주에 와서 한옥마을도 둘 러보고 비빔밥도 드시는 거 어떠세요?

대화 | 1번 | 96쪽

도시를 소개하는 발표를 하고 있습니다. 안나가 소개한 도시에 대해 이야기해 보십시오.

선생님: 오늘은 각자 한국에 있는 도시를 하나씩 소개하기로 했지 요? 안나 씨부터 발표해 볼까요?

안나: 네. 저는 춘천에 대해 소개하겠습니다. 춘천은 서울에서 기차 로 1시간 정도면 갈 수 있는 도시입니다. 호수와 산으로 둘러 싸인 아름다운 자연을 자랑하는 곳이죠. 춘천은 관광 도시로 서 풍부한 관광 자원을 가지고 있습니다. 강과 호수에서는 1년 내내 다양한 수상 스포츠를 즐길 수 있습니다. 또 드라마 촬영 지로 유명한 춘천의 명동과 남이섬을 보기 위해 많은 관광객 들이 춘천을 찾습니다. 춘천의 대표적인 음식인 닭갈비는 싸 고 맛있어서 사람들에게 인기가 많습니다. 여러분, 한국에 간 다면 춘천에 한번 방문해 보세요.

12 🔊 한국에 대해 발표하고자 합니다

듣고 말하기 | 1번 | 103쪽

다음 대화를 잘 듣고 질문에 답하십시오.

진행자: 안녕하세요? 오늘은 청취자 전화 퀴즈가 있는 월요일입니 다. 과연 오늘은 어떤 분이 상품의 주인공이 될지 만나 보겠습 니다. 연결되었지요? 안녕하세요?

민수: 안녕하세요?

진행자: 반갑습니다. 자기소개 부탁합니다.

민수: 저는 서울에 사는 김민수입니다.

진행자: 민수 씨 반갑습니다. 오늘은 나라에 대한 퀴즈를 드리겠습 니다. 제가 소개하는 나라가 어디인지 맞혀 주시면 됩니다. 자 그럼 준비하시고, 시작하겠습니다. 첫 번째 힌트. 이 나라는 한 국과 무척 가까운 나라입니다.

민수: 중국?

진행자: 중국! 아닙니다. 이 나라는 한국과 무척 가까우며 섬나라입 니다.

민수: 필리핀!

진행자: 필리핀도 아닙니다. 마지막 힌트 드릴게요. 이 나라에서 유 명한 음식은 우동입니다. 이 나라는 어디일까요?

민수: 일본.

진행자: 일본! 정답입니다. 축하드립니다.

대화 | 1번 | 104쪽

한국에 대해 이야기하고 있습니다. 한국은 어떤 곳인지 이야기해 보십시오.

유진: 안녕하십니까? 저는 한국에 대해 발표하고자 합니다. 한국은

동아시아 한반도의 남쪽에 있는 나라로서 중국과 일본 사이에 위치하고 있습니다. 삼면이 바다로 둘러싸여 있으며 봄, 여름, 가을, 겨울의 사계절이 뚜렷한 나라입니다. 5천 년이 넘는 역사를 가지고 있어서 많은 유적지와 문화 유산이 있습니다. 인구는 약 5천만 명이고, 사용하는 언어는 한국어입니다. 면적이 좁아서 자원이 풍부하지 않지만 첨단 전자 제품과 자동차, 조선 등의 산업이 발달하여 수출을 활발하게 하고 있습니다. 최근에는 영화, 드라마, 음악, 음식 등이 한류 열풍을 일으키면서 세계인의 주목을 받는 문화 강국이 되었습니다. 이상으로 발표를 마치겠습니다. 감사합니다.

모범
답안
4A

 01 🖉 여건이 된다면 외국에서 1년쯤 살아 봤으면 해요

| 문법 | 1번 | 14쪽 |

1) 다시 태어나다 • - - - - - • 지금과 다른 삶을 살다
2) 초능력이 생기다 • • 정말 열심히 공부하다
3) 다시 고등학생이 되다 • • 직원들에게 월급을 많이 주다
4) 미래를 볼 수 있다 • • 그 능력을 어려운 사람들을 위해
　　　　　　　　　　　　사용하다
5) 회사 사장이 되다 • • 로또 복권의 당첨 번호를 미리 보다

2) 초능력이 생긴다면 그 능력을 어려운 사람들을 위해 사용하고 싶어요.
3) 다시 고등학생이 된다면 정말 열심히 공부하고 싶어요.
4) 미래를 볼 수 있다면 로또 복권의 당첨 번호를 미리 보고 싶어요.
5) 회사 사장이 된다면 직원들에게 월급을 많이 주고 싶어요.

| 듣고 말하기 | 1번 | 15쪽 |

1) ②
2) ① ✕　　　② ○

| 대화 | 1번 | 16쪽 |

1) 자전거로 전국 일주
2) 친구가 같이 가자고 해서
3) 외국에서 1년쯤 살아 보기

| 대화 속 문법 | 1번 | 16쪽 |

1) 오늘은 외식을 했으면 한다
2) 우리 가족이 모두 건강하고 행복했으면 좋겠다
3) 새로 뽑은 직원이 좋은 사람이었으면 한다

| 어휘와 표현 | 1번 | 17쪽 |

1) 여행하면서 전 세계를 한 바퀴 돌고　• - - - - - •　세계 일주
　 싶어요.
2) 일상에서 벗어나서 다른 나라의 도시에서　　　　• 해외 봉사 활동
　 살아 보는 것도 좋을 것 같아요.
3) 나라마다 다양한 맛있는 음식이 있어요.　　　　• 세계의 맛있는 음식
　 세계를 돌아다니면서 그 음식들을 다　　　　　　다 먹어 보기
　 먹어 보고 싶어요.
4) 졸업하면 다른 나라에 가서 어려운　　　　　　• 마라톤에서 끝까지
　 사람들을 돕는 일을 할 거예요.　　　　　　　　달리기
5) 마라톤 대회에서 중간에 포기하지 않을　　　　• 외국에서 한 달 살기
　 거예요.

2) 저는 일상에서 벗어나서 다른 나라의 도시에서 살아 보는 것도 좋을 것 같아요. 저는 외국에서 한 달 살기를 하고 싶어요.
3) 나라마다 다양한 맛있는 음식이 있어요. 저는 세계를 돌아다니면서 그 음식들을 다 먹어 보고 싶어요. 저는 세계의 맛있는 음식 다 먹어 보기를 하고 싶어요.
4) 저는 졸업하면 다른 나라에 가서 어려운 사람들을 돕는 일을 할 거예요. 저는 해외 봉사 활동을 하고 싶어요.
5) 저는 마라톤 대회에서 중간에 포기하지 않을 거예요. 저는 마라톤에서 끝까지 달리기를 하고 싶어요.

| 읽고 쓰기 | 1번 | 18쪽 |

1) 대학 생활을 의미 있게 하기 위해서
2) 봉사 활동, 공모전, 기업 탐방, 여행, 자격증, 축제 참가 등

02 🖉 한 번쯤 가 볼 만한 곳이야

| 문법 | 1번 | 22쪽 |

1) 갈 만해요　　　　　　　2) 살 만해요
3) 찍을 만해요　　　　　　4) 먹을 만해요
5) 읽을 만해요

| 듣고 말하기 | 1번 | 23쪽 |

1) 설악산(설악산에서 케이블카를 탄 것)
2) ① ○　　　　② ✕

| 대화 | 1번 | 24쪽 |

1) (서울 시내에 있는) 낙산공원
2) 전망이 좋아서 아름다운 서울의 야경을 한눈에 볼 수 있다

3) (낙산공원 근처에 있는) 좋은 카페

대화 속 문법 | 1번 | 24쪽

1) 찾던데
2) 많던데
3) 춥다고 하던데

어휘와 표현 | 1번 | 25쪽

1) 낭만적인/색다른
2) 활기가 넘쳐요
3) 색다른/신기한
4) 역사가 깊은
5) 여유로운
6) 이국적이라서

읽고 쓰기 | 1번 | 26쪽

1) 1960~1980년대 대한민국의 모습을 그대로 간직한 드라마 촬영장
2) ②

03 드디어 새 앨범이 나온대

문법 | 1번 | 30쪽

2) 로라 씨가 요리하는 걸 좋아한대요
3) 로라 씨가 얼마 전에 회사를 그만뒀대요
4) 로라 씨가 요즘 취미로 드럼을 배우고 있대요
5) 로라 씨가 오디션에 합격했대요
6) 로라 씨가 그 식당은 사람이 너무 많아서 시끄럽대요

듣고 말하기 | 1번 | 31쪽

1) ①
2) ① ✕   ② ○

대화 | 1번 | 32쪽

1) 가수 '시온'의 새 앨범 소식
2) 시온이 작사·작곡에 모두 참여해서
3) 콘서트 소식

대화 속 문법 | 1번 | 32쪽

1) 재민 씨가 수업 끝나고 뭐 할 거내요
2) 마리 씨가 저녁에 한국 음식을 먹재요
3) 안나 씨가 이 책을 꼭 읽어 보래요

어휘와 표현 | 1번 | 33쪽

1) 콘서트가 열려요
2) 유행하기
3) 영화가 개봉해요
4) 해외에 진출해서
5) 수상했어요
6) 기부해요

읽고 쓰기 | 1번 | 34쪽

1) 평생 모은 전 재산 100억 원 과학대학교에 기부
2) ①

04 폭설로 인해서 많은 피해가 발생하고 있습니다

문법 | 1번 | 38쪽

1) 전쟁 •----------• 사람들이 많이 다치고 죽었다
2) 지진 • • 밤에 잠을 자기 어렵다
3) 심한 추위 • • 학교를 그만두는 학생이 늘었다
4) 옆집의 소음 • • 건물이 흔들리고 무너졌다
5) 학업 스트레스 • • 감기에 걸린 사람들이 많아졌다

2) 지진으로 인해서 건물이 흔들리고 무너졌다.
3) 심한 추위로 인해서 감기에 걸린 사람들이 많아졌다.
4) 옆집의 소음으로 인해서 밤에 잠을 자기 어렵다.
5) 학업 스트레스로 인해서 학교를 그만두는 학생이 늘었다.

듣고 말하기 | 1번 | 39쪽

1) ②
2) ① ○   ② ✕

대화 | 1번 | 40쪽

1) 강원 지역
2) 강원 지역을 오가는 모든 항공기 운항 취소, 교통사고로 인한 부상자 발생

대화 속 문법 | 1번 | 40쪽

1) 여행을 다니면서 인생이 즐거워졌다
2) 한국 노래를 자주 들으면서 듣기 실력이 향상되었다
3) 오랫동안 비가 내리지 않으면서 산불이 자주 발생하고 있다

어휘와 표현 | 1번 | 41쪽

1) 홍수
2) 산사태
3) 폭설
4) 전염병

읽고 쓰기 | 1번 | 42쪽

시간	장소
오늘 낮 12시 반	인천 앞바다

피해 내용
불에 타서 낚싯배가 가라앉음
원인
조사 중

05 어떤 앱을 주로 사용하냐면요

문법 | 1번 | 46쪽

1) 주말에 누구를 만났냐면
2) 이 사진에 있는 사람이 누구냐면
3) 진 씨를 어떻게 아냐면
4) 이 식당에서 뭐가 맛있냐면

듣고 읽기 | 1번 | 47쪽

1) ④
2) ① ×   ② ×

대화 | 1번 | 48쪽

1) 빠른택시
2) 택시 도착 시간과 요금을 모두 알 수 있다.

대화 속 문법 | 1번 | 48쪽

1) 넘어지기가 쉬워요
2) 발음하기가 어려워요
3) 옮기기 힘들어요

어휘와 표현 | 1번 | 49쪽

1) 업로드해요/올려요
2) 다운 받을/내려받을
3) 복사해서/붙여 넣어서
4) 파일을 첨부해서
5) 설치해야 해요/깔아야 해요

06 마늘은 면역력을 높여 줄 뿐만 아니라 암 예방에도 좋습니다

문법 | 1번 | 54쪽

1) 토마토는 불면증에 효과적이다 — 피부에 좋다
2) 이 식당은 음식이 맛있다 — 지루하다
3) 유진 씨는 일을 빨리 끝내다 — 가격이 싸다
4) 지금 하는 일은 적성에 잘 맞다 — 월급이 많다
5) 이 소설책은 내용이 길고 복잡하다 — 실수가 없다

2) 이 식당은 음식이 맛있을 뿐만 아니라 가격이 싸요.
3) 유진 씨는 일을 빨리 끝낼 뿐만 아니라 실수가 없어요.
4) 지금 하는 일은 적성에 잘 맞을 뿐만 아니라 월급이 많아요.
5) 이 소설책은 내용이 길고 복잡할 뿐만 아니라 지루해요.

듣고 말하기 | 1번 | 55쪽

1) 비타민과 칼륨이 풍부해서 몸에 좋을 뿐만 아니라 엔도르핀을 만드는 효과가 있어서 정신 건강에도 좋다.
2) ① ○   ② ○

대화 | 1번 | 56쪽

1) 면역력을 높여 줌, 암 예방, 피로 회복, 체력 보충
2) 사람들이 피하는/안 먹으려고 하는 음식이다.

대화 속 문법 | 1번 | 56쪽

1) 연습을 하게 해요
2) 문장을 만들게 해요
3) 한국 뉴스를 듣게 해요

어휘와 표현 | 1번 | 57쪽

1) 피로 회복에 좋아요
2) 시력을 보호하는
3) 소화가 잘되는
4) 면역력을 높이는
5) 기억력을 향상시키는
6) 체력을 보충하고

읽고 쓰기 | 1번 | 58쪽

1) 시력 보호, 면역력을 높여 암 예방, 노화 방지
2) ③

07 ✎ 버스가 흔들려서 넘어질 뻔했어요

문법 | 1번 | 62쪽

1) 눈길을 걷다 •····· • 미끄러져서 넘어지다
2) 뒷주머니에서 휴대폰을 꺼내다 • • 영화를 못 보다
3) 운전하면서 다른 생각을 하다 • • 바닥에 떨어뜨리다
4) 피곤해서 지하철에서 졸다 • • 사고가 나다
5) 영화 시간을 잘못 알다 • • 내릴 곳을 지나치다

2) 뒷주머니에서 휴대폰을 꺼내다가 바닥에 떨어뜨릴 뻔했어요.
3) 운전하면서 다른 생각을 하다가 사고가 날 뻔했어요.
4) 피곤해서 지하철에서 졸다가 내릴 곳을 지나칠 뻔했어요.
5) 영화 시간을 잘못 알아서 영화를 못 볼 뻔했어요.

듣고 말하기 | 1번 | 63쪽

1) ②
2) ① ○   ② ×

대화 | 1번 | 64쪽

1) 앞쪽에 빈자리가 있어서 아무 데나 앉았다.
2) 교통약자석이라서
3) 버스가 흔들려서 넘어질 뻔했다.

대화 속 문법 | 1번 | 64쪽

1) 아무거나 먹어요
2) 아무 곳이나 가요
3) 아무 자리나 주세요

어휘와 표현 | 1번 | 65쪽

1) 얼굴이 빨개졌어요
2) 깜짝 놀라서
3) 보람을 느껴요
4) 당황스러운
5) 창피했어요

읽고 쓰기 | 1번 | 66쪽

1) 차에 기름 넣기, 세차, 주유소 청소
2) 부모님께 옷을 사 드렸고, '나'를 위해 무선 이어폰을 샀다.
3) 스스로가 자랑스럽게 느껴졌다.

08 ✎ 가을이 되면 잘 익은 감이 주렁주렁 달렸다

문법 | 1번 | 70쪽

1) 합격했다는 말을 들은 학생, 기뻐하다 •····· • 뛰다
2) 강아지, 꼬리를 흔들다 • • 신기하다
3) 그 남자, 급하게 떠나다 • • 반갑다
4) 마술 공연을 보는 아이, 눈을 크게 뜨다 • • 도망치다
5) 두 사람, 큰 소리로 이야기하다 • • 서로 싸우다

2) 강아지가 반가운 듯이 꼬리를 흔들었어요.
3) 그 남자는 도망치는 듯이 급하게 떠났어요.
4) 마술 공연을 보는 아이는 신기한 듯이 눈을 크게 떴어요.
5) 두 사람은 서로 싸우는 듯이 큰 소리로 이야기했어요.

문법 | 2번 | 70쪽

2) 편지를 읽고 감동한 듯이 눈물을 흘려요.
3) 화가 난 듯이 얼굴을 찡그려요.
4) 기쁜 일이 생긴 듯이 콧노래를 불러요.
5) 놀라운 것을 본 듯이 눈을 크게 떴어요.
6) 고민이 있는 듯이 심각한 얼굴을 했어요.

읽고 듣기 | 1번 | 71쪽

1) 어렸을 때, 가족들과 함께 물놀이를 가서 찍은 사진
2) 언니들이 물을 뿌리면서 장난을 쳐서
3) ③

읽고 듣기 | 2번 | 71쪽

1) ①
2) ① ○   ② ×   ③ ×

대화 | 1번 | 72쪽

1) 부산의 작은 동네
2) 감나무
3) 주택들 사이에 비어 있는 공터

대화 속 문법 | 1번 | 72쪽

1) 보여요
2) 밟혔어요
3) 잡혔어요

어휘와 표현 | 1번 | 73쪽

1) 고층 빌딩이 늘어서 있다
2) 마을이 한눈에 보인다
3) 인상적이다
4) 그림 같다

5) 사람들로 붐비고
6) 배가 떠 있는

09 이번 주 방송 정말 볼 만하지 않았어?

문법 | 1번 | 78쪽

1) 이 드라마 ┄┄┄┄┄ 연출이 정말 놀랍다
2) 이 옷 ╲ ╱ 너무 습하다
3) 불고기 ╳ 만들기 어렵다
4) 오늘 날씨 ╱ ╲ 분위기가 참 좋다
5) 이 카페 저한테 잘 어울릴 것 같다

2) 이 옷 저한테 잘 어울릴 것 같지 않아요?
3) 불고기 만들기 어렵지 않아요?
4) 오늘 날씨 너무 습하지 않아요?
5) 이 카페 분위기가 참 좋지 않아요?

듣고 말하기 | 1번 | 79쪽

1) 음악 방송
2) ① ×   ② ○

대화 | 1번 | 80쪽

1) 다양한 분야의 상식을 쌓을 수 있는 교양 방송
2) 도시와 건축
3) 다양한 분야의 상식을 쌓을 수 있다, 분위기가 딱딱하지 않다, 어려운 내용도 쉽게 알려 줘서 지루하지 않다.

대화 속 문법 | 1번 | 80쪽

1) 그 가방이 얼마나 비싸다고요
2) 제가 책을 얼마나 자주 읽는다고요
3) 사람들이 이 방송을 얼마나 많이 본다고요

어휘와 표현 | 1번 | 81쪽

1) 식상하다
2) 위로를 주는
3) 신선하다
4) 공감이 간다
5) 영향력이 큰
6) 자극적인

읽고 쓰기 | 1번 | 82쪽

1) 평범한 사람들의 특별한 이야기를 찾아 떠나는 길거리 토크 쇼
2) 위로를 받을 수 있다, 교훈을 주는 내용이 많다, 공감 가는 이야기가 많다.

10 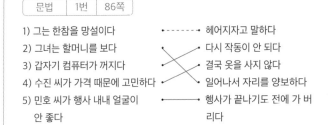 주인공이 책상 위를 보더니 깜짝 놀라서 무엇인가를 찾기 시작하는 거야

문법 | 1번 | 86쪽

1) 그는 한참을 망설이다 ┄┄┄ 헤어지자고 말하다
2) 그녀는 할머니를 보다 ╲ ╱ 다시 작동이 안 되다
3) 갑자기 컴퓨터가 꺼지다 ╳ 결국 옷을 사지 않다
4) 수진 씨가 가격 때문에 고민하다 ╱ ╲ 일어나서 자리를 양보하다
5) 민호 씨가 행사 내내 얼굴이 안 좋다 행사가 끝나기도 전에 가 버리다

2) 그녀는 할머니를 보더니 일어나서 자리를 양보했어요.
3) 갑자기 컴퓨터가 꺼지더니 다시 작동이 안 됐어요.
4) 수진 씨가 가격 때문에 고민하더니 결국 옷을 사지 않았어요.
5) 민호 씨가 행사 내내 얼굴이 안 좋더니 행사가 끝나기도 전에 가 버렸어요.

듣고 말하기 | 1번 | 87쪽

1) 어느 날 갑자기 주인공에게 미래를 볼 수 있는 특별한 능력이 생기고 어떤 사람을 보면 그 사람에게 일어날 일이 머릿속에 떠오르게 된다. 그래서 그 능력을 이용해서 사람들을 도와주게 되는 이야기이다.
2) ① ○   ② ×

대화 | 1번 | 88쪽

1) 회사의 중요한 비밀이 들어 있는 노트북이 갑자기 사라졌다.
2) 경쟁 회사의 사장
3) 주인공의 제일 친한 친구

대화 속 문법 | 1번 | 88쪽

1) 없는 거예요
2) 따라오는 거예요
3) 생각이 안 나는 거예요

어휘와 표현 | 1번 | 89쪽

1) 첫눈에 반했어요
2) 새로운 인물이 등장했어요
3) 우연히 마주쳤지만
4) 갈등을 겪었어요
5) 도망쳤어요
6) 행복한 결말을 맺었어요

11 ✏️ 저는 춘천에 대해 소개하겠습니다

문법 | 1번 | 94쪽

1) 그는 국가 대표 선수이다	····· 올림픽에 참가하다
2) 그는 기자이다	뛰어난 외교 능력을 가지고 있다
3) 그는 외교 전문가이다	환자를 살리기 위해 최선을 다하다
4) 그는 의사이다	유명한 건축가가 설계한 것이다
5) 이것은 우리 도시를 대표하는 건축물이다	사람들에게 진실을 알리기 위해 노력하다

2) 그는 기자로서 사람들에게 진실을 알리기 위해 노력해요.

3) 그는 외교 전문가로서 뛰어난 외교 능력을 가지고 있어요.

4) 그는 의사로서 환자를 살리기 위해 최선을 다해요.

5) 이것은 우리 도시를 대표하는 건축물로서 유명한 건축가가 설계한 거예요.

듣고 말하기 | 1번 | 95쪽

1) ①

2) ① ×   ② ○

대화 | 1번 | 96쪽

1) 서울에서 기차로 1시간 정도

2) 호수와 산으로 둘러싸인 아름다운 자연을 자랑하는 관광 도시로서 풍부한 관광 자원을 가지고 있다.

3) 닭갈비

대화 속 문법 | 1번 | 96쪽

1) 오늘 학교에서 국어의 역사에 대해서 공부했다

2) 선생님께서 그의 연주에 대해서 칭찬했다

3) 친구에게 문제 푸는 방법에 대해서 물었다

어휘와 표현 | 1번 | 97쪽

1) 교통의 요충지이다

2) 자원이 풍부하다

3) 공장이 모여 있다

4) 인구가 집중되어 있다

5) 환경이 쾌적하다

6) 일자리가 풍부하다

읽고 쓰기 | 1번 | 98쪽

1) 주거 환경이 쾌적한 도시

2) 로잔은 레만호수와 드넓게 펼쳐진 포도밭으로 유명한 곳이고, 밴쿠버는 높은 산과 깊은 바다가 만들어 내는 조화가 매력적인 곳이기 때문이다.

3) 많은 것 중에 다섯 손가락 안에 들 만큼 뛰어나다는 뜻

12 ✏️ 한국에 대해 발표하고자 합니다

문법 | 1번 | 102쪽

1) 그는 인사성이 바르다	····· 사람들에게 친절하다
2) 삼계탕은 맛이 좋다	아름다워서 여행지로 유명하다
3) 한국의 전통술은 막걸리이다	겨울에는 따뜻하다
4) 지리산 계곡은 물이 맑다	전통 의상은 한복이다
5) 한옥은 여름에 시원하다	건강에도 좋아서 외국인들에게 인기가 많다

2) 삼계탕은 맛이 좋으며 건강에도 좋아서 외국인들에게 인기가 많다.

3) 한국의 전통술은 막걸리이며 전통 의상은 한복이다.

4) 지리산 계곡은 물이 맑으며 아름다워서 여행지로 유명하다.

5) 한옥은 여름에 시원하며 겨울에는 따뜻하다.

듣고 말하기 | 1번 | 103쪽

1) ①

2) ① ○   ② ○

대화 | 1번 | 104쪽

1) 동아시아 한반도의 남쪽, 중국과 일본 사이

2) 첨단 전자 제품, 자동차, 조선 등의 산업

대화 속 문법 | 1번 | 104쪽

1) 내가 말하고자 하는 것이 바로 그것입니다

2) 저는 오늘 한국의 유명한 음식을 소개하고자 합니다

3) 좋은 작가가 되고자 한다면 좋은 글을 많이 읽어야 한다

어휘와 표현 | 1번 | 105쪽

1) 주요 산업   2) 기후

3) 상징   4) 면적

5) 화폐

읽고 쓰기 | 1번 | 106쪽

1) ②

2) 독일의 환경, 교육, 정치, 경제에 대한 소개

어휘와 표현 색인 ── 4A

ㄱ

가뭄 — 41
가슴이 두근거리다 — 65
갈등을 겪다 — 89
개인 방송 채널 만들기 — 17
검색하다 — 49
경제가 발전하다 — 33
경제의 중심지 역할을 하다 — 97
고층 빌딩이 늘어서 있다 — 73
공감이 가다 — 81
공장이 모여 있다 — 97
교통의 요충지이다 — 97
교훈을 주다 — 81
그림 같다 — 73
기부하다 — 33
기억력을 향상시키다 — 57
기후 — 101, 105
깔다 — 49
깜짝 놀라다 — 65

ㄴ

낭만적이다 — 25
내가 살 집 짓기 — 17
내려받다 — 49
누르다 — 49

ㄷ

다운 받다 — 49
다치다 — 41
당황스럽다 — 65
댓글을 달다 — 49
도망치다 — 89
떨리다 — 65

ㅁ

마라톤에서 끝까지 달리기 — 17
마을이 한눈에 보이다 — 73
면역력을 높이다 — 57
면적 — 105
민족 — 105
문화의 중심지 역할을 하다 — 97

ㅂ

반전이 있다 — 89
배가 떠 있다 — 73
범인을 쫓다 — 89
보람을 느끼다 — 65
복사하다 — 49
부상을 당하다 — 41
부상자 — 41
붙여 넣다 — 49
비극적으로 끝나다 — 89
뼈를 튼튼하게 하다 — 57

ㅅ

사라지다 — 89
사람들로 붐비다 — 73
사람들이 주로 농사를 짓다 — 97
사망자 — 41
사망하다 — 41
사이트에 가입하다 — 49
사회를 반영하다 — 81
사회의 중심지 역할을 하다 — 97
산사태 — 41
산으로 둘러싸여 있다 — 73
상식을 쌓다 — 81
상징 — 105
새로운 인물이 등장하다 — 89
색다르다 — 25
설치하다 — 49
세계의 맛있는 음식 다 먹어 보기 — 17
세계 일주 — 17
소화가 잘되다 — 57
수상하다 — 33
시력을 보호하다 — 57
식상하다 — 81
신기하다 — 25, 70
신선하다 — 81
실종되다 — 41

ㅇ

아름다운 자연을 자랑하다 — 97
아이디를 만들다 — 49
암을 예방하다 — 57
앨범이 나오다 — 33
언어 — 101, 102, 104, 105
얼굴을 들 수가 없다 — 65
얼굴이 빨개지다 — 65
업로드하다 — 49
여유롭다 — 25
역사가 깊다 — 25
영향력이 크다 — 81
영화가 개봉하다 — 33
오해가 생기다 — 89
온라인 강의를 듣다 — 49
올리다 — 49
외국에서 한 달 살기 — 17
우연히 마주치다 — 89
위로를 주다 — 81
유익하다 — 81
유행하다 — 33
이국적이다 — 25
인구가 집중되어 있다 — 97, 98
인상적이다 — 73
일자리가 부족하다 — 97
일자리가 풍부하다 — 97

ㅈ

자극적이다 — 81
자랑스럽다 — 65, 66, 67
자원이 풍부하다 — 97
재회하다 — 89
전망이 좋다 — 25
전염병 — 41
정치의 중심지 역할을 하다 — 97
정치 제도 — 105
좁은 골목이 이어져 있다 — 73
종교 — 105
주요 산업 — 105
죽다 — 41

ㅊ

창피하다 — 65
찾다 — 24, 49
첫눈에 반하다 — 89
체력을 보충하다 — 57
촬영지로 유명하다 — 25

ㅋ

캠핑카 여행 — 17
콘서트가 열리다 — 33
클릭하다 — 49

ㅍ

파일을 첨부하다 — 49
패러글라이딩 — 17
폭발 — 41
폭설 — 41
폭우 — 41
푸른 들이 펼쳐져 있다 — 73
피로 회복에 좋다 — 57
피해가 발생하다 — 41

ㅎ

해외 봉사 활동 — 17
해외에 진출하다 — 33
행복한 결말을 맺다 — 89
현대적이다 — 25
홍수 — 41
화상 회의를 하다 — 49
화폐 — 105
환경이 쾌적하다 — 97
활기가 넘치다 — 25
흥행에 성공하다 — 33
흥행에 실패하다 — 33

자료
출처
4A

※ 이 교재는 산돌폰트 외 Ryu 고운한글돋움OTF, Ryu 고운한글바탕OTF 등을 사용하여 제작되었습니다. Ryu 고운한글돋움OTF, Ryu 고운한글바탕OTF 서체는 서체 디자이너 류양희 님에게서 제공 받았습니다.

이 교재는 국립공원공단에서 2021년 작성하여 공공누리 제1유형으로 개방한 '국립공원 꼬미'를 사용하였으며, 해당 저작물은 국립공원공단(www.knps.or.kr)에서 무료로 다운 받으실 수 있습니다.

※ 강승희, 곽명주, 박가을, 이재영, 정원교 작가와 함께 작업했습니다.

| 게티이미지코리아 |

1과 13쪽_1번 (우, 위로부터)③   2과 17쪽_1번 (하, 좌로부터)①, 2번 (하, 좌로부터)①; 22쪽_(상, 좌로부터)①; 24쪽_1번, 더 알아봐요 상, (중, 좌로부터)①/②, (하, 좌로부터)②; 25쪽_어휘와 표현 하   4과 38쪽_(상, 좌로부터)②; 39쪽_1번 ③; 40쪽_더 알아봐요; 41쪽_1번 2), 42쪽_1번   5과 48쪽_대화 속 문법   7과 63쪽_1번 ③   8과 69쪽_2번 ;73쪽_어휘와 표현 (상, 좌로부터)①/②/③/④, (하, 좌로부터)①/②; 74쪽_(상, 좌로부터)①, 하;   11과 93쪽_2번 춘천/서울 사진; 94쪽_상, 2번 2)/4); 95쪽_1번, 2번 우; 96쪽_더 알아봐요; 97쪽_더 알아봐요 이천 사진; 98쪽_1번 (위로부터)①/③/⑤   12과 102쪽_상

| 셔터스톡 |

스피커 아이콘
말풍선
연필 아이콘

1과 13쪽_1번 (좌, 위로부터)①/②/③, (우, 위로부터)②; 14쪽_1번, 2번; 15쪽; 16쪽; 17쪽_어휘와 표현 (상, 좌로부터))①/②/③, 하, 1번, 2번; 18쪽   2과 21쪽_1번 상, (하, 좌로부터)②, 2번 상, (하, 좌로부터)②; 22쪽_(상, 좌로부터)②, 1번, 2번; 23쪽; 24쪽_더 알아봐요 (중, 좌로부터)③, (하, 좌로부터)①/③; 25쪽 어휘와 표현 상, 2번; 26쪽_상좌   3과 29쪽; 30쪽_2번; 31쪽_더 알아봐요, 2번; 32쪽; 33쪽_어휘와표현 (상, 좌로부터)②/③, (중, 좌로부터)①/②, 하, 2번; 35쪽;   4과 37쪽; 38쪽_(상, 좌로부터)①, 1번, 2번; 39쪽_1번 ①/②, 2번; 41쪽_어휘와 표현 (상, 좌로부터)①/②, (하, 좌로부터)①/②/③, 1번 1)/3)/4), 2번;   5과 45쪽_1번; 46쪽_1번, 2번; 47쪽_2번; 49쪽; 50쪽_상우   6과 53쪽; 54쪽; 55쪽; 56쪽; 57쪽; 58쪽; 59쪽   7과 61쪽; 62쪽_1번, 2번; 63쪽_1번 ①/②, 2번; 65쪽; 66쪽   8과 69쪽_1번; 70쪽; 72쪽; 73쪽_어휘와 표현 (하, 좌로부터)③/④, 2번; 74쪽_(상, 좌로부터)②   9과 78쪽; 79쪽_2번; 80쪽; 81쪽; 82쪽   10과 86쪽_1번, 2번, 더 알아봐요; 87쪽; 89쪽_상좌, 2번   11과 93쪽_1번, 2번 속초/경주/부산/제주도/전주 사진, 아이콘 일체; 94쪽_1번, 2번 (보기)/1)/3)/5)/6); 95쪽_2번 좌; 97쪽_어휘와 표현, 2번, 더 알아봐요 상, 울릉도/독도/영덕/금산/나주/완도/제주도 사진; 98쪽_1번 (위로부터)②/④/⑥/⑦   12과 101쪽; 102쪽_1번, 2번; 103쪽_2번; 105쪽; 106쪽; 109쪽

| 기타 |

1과 13쪽_1번 (상, 위로부터)①_배우 이민호 (MYM엔터테인먼트 제공) 2번_〈2019 새해 소망 설문 조사〉ⓒ나우앤서베이
2과 26쪽_순천 드라마 촬영장 (전라남도영상위원회 제공)
10과 85쪽_〈살인의 추억〉 포스터 (CJENM 제공), 〈엑시트〉 포스터 (CJENM 제공), 〈뷰티인사이드〉 포스터 (NEW 제공)

메모

세종한국어 4A

기획	국립국어원	박미영 학예연구사
	국립국어원	조 은 학예연구사
집필	책임 집필	이정희 경희대학교 국제교육원 교수
	공동 집필	최은지 원광디지털대학교 한국어문화학과 교수
		김금숙 상지대학교 한국어문화학과 조교수
		김민경 고려대학교 교양교육원 초빙교수
		김가람 전북대학교 교과교육연구소 연구교수
		윤세윤 경희대학교 국제교육원 객원교수
	집필 보조	김민아 서울대학교 국어교육과 박사수료
		김지예 고려대학교 교양교육원 강사
		정성호 경희대학교 국어국문학과 박사수료
		서유리 경희대학교 국어국문학과 박사과정

발행 국립국어원
주소: (07511) 서울특별시 강서구 금낭화로 154
전화: +82 (0) 2-2669-9775
전송: +82 (0) 2-2669-9727
누리집: www.korean.go.kr

초판 1쇄 발행   2022년 9월 1일
초판 2쇄 발행   2023년 8월 31일

편집 · 제작 공앤박 주식회사
주소: (05116) 서울특별시 광진구 광나루로56길 85, 프라임센터 3411호
전화: +82 (0) 2-565-1531
전송: +82 (0) 2-6499-1801
누리집: www.kongnpark.com / www.BooksOnKorea.com (구매)

총괄	공경용
편집	이유진, 김세훈, 이진덕, 여인영, 김령희, 성수정, 최은정, 함소연
영문 편집	Sung A. Jung, Paulina Zolta, Kassandra Lefrancois-Brossard
디자인	오진경, 서은아, 이종우, 이승희
삽화	강승희, 곽명주, 박가을, 이재영, 정원교
관리·제작	공일석, 최진호
IT 자료	손대철
마케팅	윤성호

ISBN 978-89-97134-28-1 (14710)
ISBN 978-89-97134-21-2 (세트)

© 국립국어원, 2022

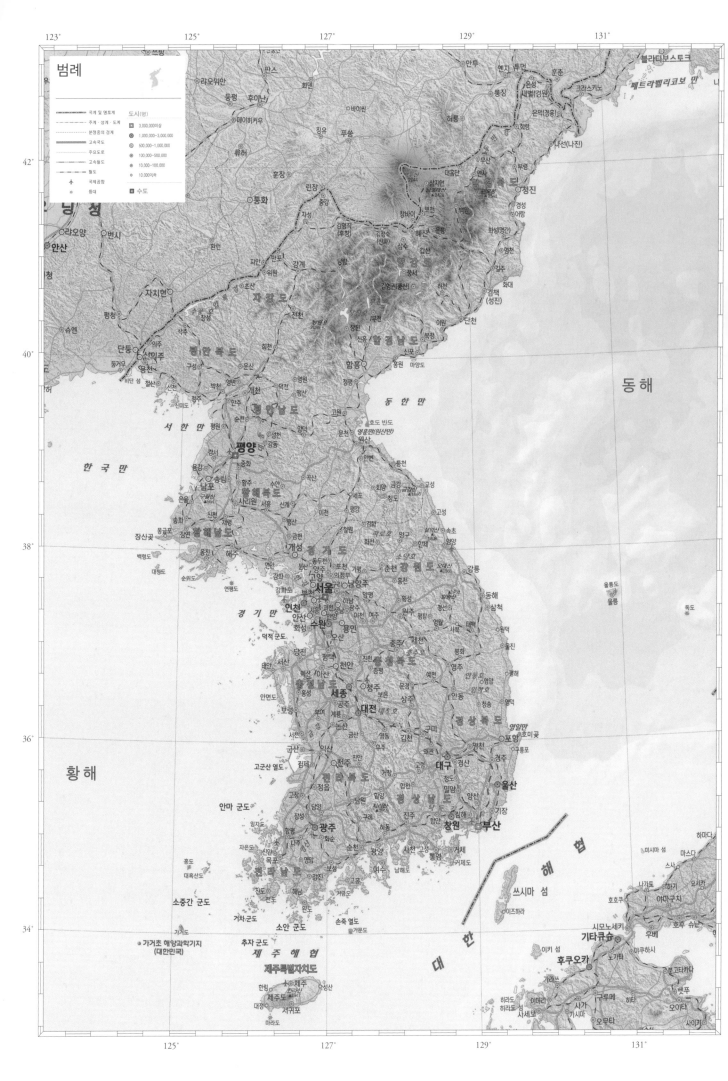